Girl's Life

Sarah's Book

똑똑하고 당당한
소녀생활백서

글 · 정미금
서울예술대학 문예창작과를 졸업한 후 MBC '뽀뽀뽀', KBS '수수께끼 블루'에서 방송작가로 활동하였습니다. 그 후 사랑과 지혜가 담긴 어린이 책을 쓰고 있습니다.
펴낸 책으로는 《내 똥이야 먹지 마!》 《코끼리가 바람에 날려요!》 《알콩달콩 지구여행》 등이 있습니다.

그림 · 전영신
1995년 만화 잡지 《댕기》에서 데뷔하여 1999년 시공사 첼린저 만화 공모전에 '열일곱'이 당선되면서 본격적으로 활동을 시작했습니다.
만화 잡지 《케이크》에서 '그래도 제법 괜찮아' '프린스&프린세스' '러브 쿠킹' '내 곁에' 등을 발표하였고,
2002년 출간된 《북유럽 신화》의 글과 컬러 작업에 참여하였습니다.
펴낸 책으로는 《똑같이 공부해도 일등하는 아이, 꼴찌하는 아이》 《친구들도 몰라보게 예뻐지는 날씬 다이어트》 《연예인도 부럽지 않은 멋내기 코디》 《예비숙녀가 꼭 알아야 할 소녀백과》 《소녀들의 마음이 따뜻해지는 사랑동화 36가지》 등이 있습니다.

똑똑하고 당당한
소녀생활백서

2006년 2월 13일 초판 1쇄 찍음
2006년 5월 10일 초판 3쇄 펴냄

글 · 정미금
그림 · 전영신

펴낸이 · 이성호
펴낸 곳 · 도서출판 글송이

주소 · 서울시 서초구 양재동 112-3 원진빌딩
전화 · 578-1560~1 팩스 · 578-1562
출판 등록 · 1999년 3월 6일 제22-1514호
홈페이지 · gsibook.com

편집 · 최영미, 이여주, 오영인
디자인 · 임주용
채색 · 김란희
마케팅 · 이성갑, 박성준, 곽창만, 한정은, 박영욱
관리 · 황용호, 박민숙, 한승미, 최진수

ISBN 89-5572-211-7 73800

Girl's Life

똑똑하고 당당한

소녀생활백서

글 · 정미금, 그림 · 전영신

글송이

머리말

따분한 하루하루를 활기차게 보내는 특별한 노하우!

하루하루가 지루하고 똑같은 생활의 반복인가요?
특별히 재미난 일도 없이 꿈틀대는 애벌레처럼 말이에요. 하지만 실망할 필요 없어요. 보잘것없는 애벌레가 얼마 후면 멋진 나비가 될 테니까요. 나비는 아름다운 나비로 다시 태어나기 위해 답답한 번데기 속에서 꿋꿋이 참아 내지요. 애벌레가 나비가 되려고 준비하고 인내하듯이 소녀들도 멋진 숙녀가 되기 위해 준비할 것들이 있고 고민이 있게 마련이에요.

고민없이 보다 활기차고 행복하게 소녀 시절을 보내고 싶나요? 《똑똑하고 당당한 소녀생활백서》에 그 비결이 가득 들어 있어요.
그런데 백서가 뭐냐고요? 나라의 공식적인 보고서를 '백서'라고 해요.
영국에서는 나라의 공식적인 보고서 표지를 늘 하얀색으로 했지요.

당당하고 똑똑한 소녀들의 재미있는 160가지 상황을 읽으며 우리도 아름다운 나비가 될 준비를 해 보자고요!

2006년 지은이 정미금, 전영신

차례

히힝~~

1

소풍 가기 전, 체크해야 할 것!

햇빛은 식물을 키운다!
그리고 내 피부에 주근깨도 키운다!

따뜻한 햇살이 눈부시던 날.
난 자외선 차단제도 바르지 않고 소풍을 갔어.
물론 모자 같은 걸 챙겨갈 생각도 못했지.

그런데 한참을 놀다 보니 내 얼굴에서
열이 나더라.
집에 와서 보니, 완전 불타는
군고구마가 되어 있었어.
내 얼굴을 본 언니가 그러더라.
피부의 적은 자외선이라고!
자외선을 많이 쬐면 피부가
푸석푸석해지고
주름, 기미, 주근깨가 많이 생긴대.
진작 좀 말해 주지!
다음부터는 어딜 가든지 꼭꼭 자외선
차단제를 바르고 나갈 거야!

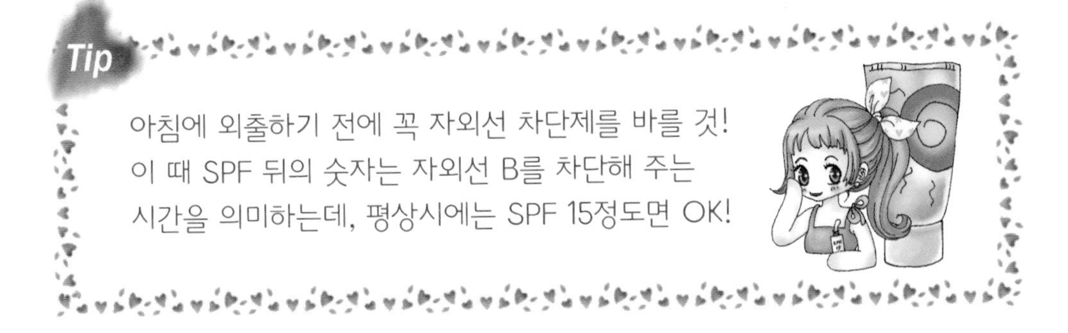

Tip

아침에 외출하기 전에 꼭 자외선 차단제를 바를 것!
이 때 SPF 뒤의 숫자는 자외선 B를 차단해 주는
시간을 의미하는데, 평상시에는 SPF 15정도면 OK!

2 소녀생활백서

어깨에만 내리는 하얀 눈?

내 어깨에 눈이 내리던 날…
그 애가 내 곁에서 멀어졌다.
내 머리에서 하얀 비듬이 떨어져
내 어깨에 소복이 쌓이던 날.

머리 피부(두피)에서 떨어져 나온
세포, 너의 이름은 비듬!
비듬이 심한 사람이라면 비듬제거 샴푸를 쓰는 센스를 보여 줄 것!
머리를 감을 때 손가락 끝으로 두피를 가볍게 마사지 해 주는 것도 좋아.

비듬제거 샴푸뿐만 아니라, 비듬약을 사용해도 낫지 않는다고? 그럼 상의를 밝은 색으로 입는 것도 한 방법이지.

내 눈은 정상인가?

내가 찜한, 그 애!
경쟁상대가 아무도 나타나지 않는다면, 안과에 가서 시력 검사를 받아 볼 것!

내 눈 건강은 내가 지킨다!

1. 책을 볼 때는 밝은 곳에서, 바른 자세로!
2. 책과 눈의 거리는 사과 5개만큼!
3. 책이나 컴퓨터를 볼 때는 50분마다 눈을 쉬어 준다.
   (먼 곳을 보거나 눈을 감고 눈동자를 돌려 준다.)
4. 텔레비전은 멀리서 본다.
5. 음식은 골고루 먹는다.

나는야, 스컹크 소녀!

체육 시간에 운동을 진짜 열심히 했어. 그래서 그런지 몸에서 땀 냄새가 폴폴 나더라. 난 깔끔한 숙녀답게 향수를 뿌렸지.
으아~! 그런데 땀 냄새보다 더 고약한 냄새가 나는 거야.
그 뒤로 난 스컹크 소녀가 됐어!

땀과 향수가 섞이면 고약한 냄새가 나.
향수가 땀과 만나면 산성으로 바뀌거든.
땀날 때 필요한 건 향수가 아니라
손수건이지. 물티슈를 가지고 다니는 것도
편리하겠지? 하지만 가장 좋은 방법은
깨끗하게 씻는 거야!

부글부글 끓는 마음, 진정시키기!

뭐? 좋아하던 아이가 전학을 가고,
학교에서 달리기 하다 넘어지고,
동생 때문에 억울한 누명까지 썼다고?
너무너무 화가 나서 마음 속 화산이 부글부글 끓어오르지?
그렇다면 마음을 진정시켜 주는 체조를 해 봐! 마음이 한결 편해질 거야.

1. 무릎 꿇고 앉아서 머리를 앞으로 숙인다.
2. 팔을 등 뒤로 뻗어서 깍지 끼고, 최대한 위로 올린다.
3. 다시 손을 앞에서 깍지 낀 후, 머리 위로 올린다.
4. 몸을 위로 더 쭉쭉 잡아 당긴다.
5. 마지막으로 숨을 내쉬며 아주 천천히 손을 내린다.

6 소녀생활백서

살아, 살아, 내 살들아!

나야, 너와 함께 살고 있는 지방.
사람들은 나를 비곗살이라고도 부르지. 근데 너희들은 왜 나만 미워해?
난 추울 때 네 몸을 따뜻하게 보호해 주고, 네가 밥을 안 먹었을 땐 에너지를 만들어 주기도 하는데……. 내가 없으면 뼈랑 근육은 누가 보호해 주겠니?
그러니까 살을 너무 많이 빼려고 하지 마!
난 너에게 꼭 필요하니까!

소녀들의 진실한 우정!

'친구란, 내 슬픔을 등에 지고 가는 사람' 이라는 인디언 속담이 있어.
진정한 친구는 나를 힘들게 하는 일을 자신의 일처럼
생각하고 해결해 주려 한다는 거야.
그런 친구가 있다면 얼마나 든든할까?
하지만 잊지 말아야 할 것은 진실한
친구를 얻기 위해서는 내가 먼저
진실한 친구가 되어야 한다는 거지.
여자들에게도 남자들 못지않은
우정이 있다는 걸 보여 주자고!

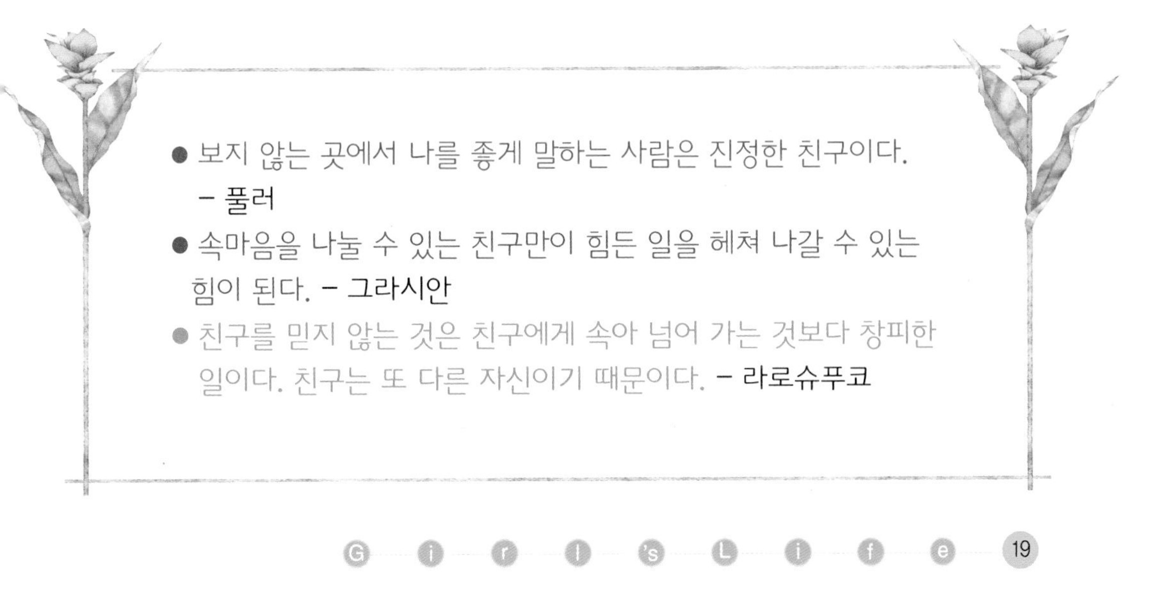

- 보지 않는 곳에서 나를 좋게 말하는 사람은 진정한 친구이다. – 풀러
- 속마음을 나눌 수 있는 친구만이 힘든 일을 헤쳐 나갈 수 있는 힘이 된다. – 그라시안
- 친구를 믿지 않는 것은 친구에게 속아 넘어 가는 것보다 창피한 일이다. 친구는 또 다른 자신이기 때문이다. – 라로슈푸코

8 소녀생활백서

내 마음을 비추는 거울, 일기

일기 쓰기가 제일 싫다고?

하지만 일기를 쓴다는 것은 나에게 무척 중요하고, 즐거운 일이야. 마음이 아름다운 숙녀가 되기 위해서는 꼭 필요한 과정이지.

일기는 내 마음을 들여다볼 수 있는 거울과 같거든.

내 마음이 어떤지 바라보는 건 흥미로운 일이잖아.

일기는 내 생각을 정리하고 주위 사람들에 대해서 생각하는 시간을 갖게 해 줘. 일기를 쓰다 보면 고민거리를 해결할 수 있는 방법이 생각나기도 하고, 너무너무 미웠던 동생이 저절로 용서가 되기도 해. 더불어 글 솜씨도 좋아지지.

또 나의 하루 일과를 적으니 자칫 기억하지 못하는 중요한 일들도 확인할 수 있어.

'기록은 기억을 지배한다.'라는 말도 있잖아.

어때? 지금 나의 마음이 어떤지 궁금하지 않아?

봐봐, 1월 21일 꼬치구이 사 먹느라 나한테 3,000원 꿔 갔잖아!

칫!

일기장

발 냄새 때문에…

친구랑 떡볶이를 먹으러 단골 가게에 갔어.
그런데 친구가 포장해서 집에 가져가서 먹자는 거야.
난 친구네 집 앞에서 이렇게 말해야 했어.
"미안, 급히 할 일이 있어서 집에 가 볼게!"
할 일이 있긴!
사실은 내 발 냄새가 정말 심각하거든.
내 발 냄새가 가득 배인 운동화는
거의 살인무기 수준이야. 아직도 모락모락
김이 나던 떡볶이 생각에 군침이 돈다.

미안, 할 일이 있어.

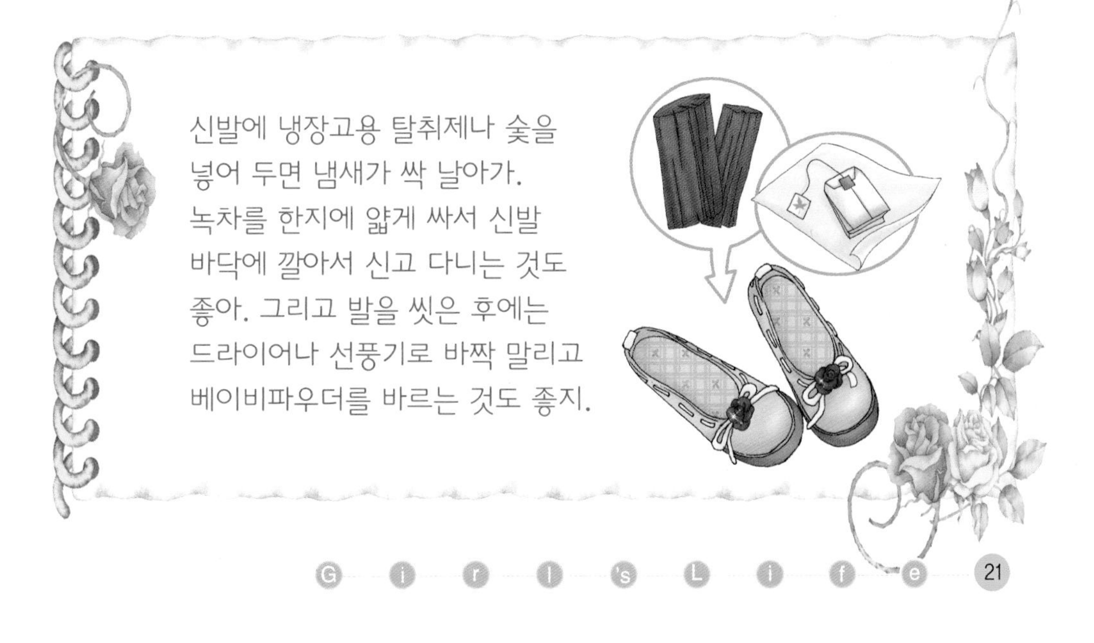

신발에 냉장고용 탈취제나 숯을
넣어 두면 냄새가 싹 날아가.
녹차를 한지에 얇게 싸서 신발
바닥에 깔아서 신고 다니는 것도
좋아. 그리고 발을 씻은 후에는
드라이어나 선풍기로 바짝 말리고
베이비파우더를 바르는 것도 좋지.

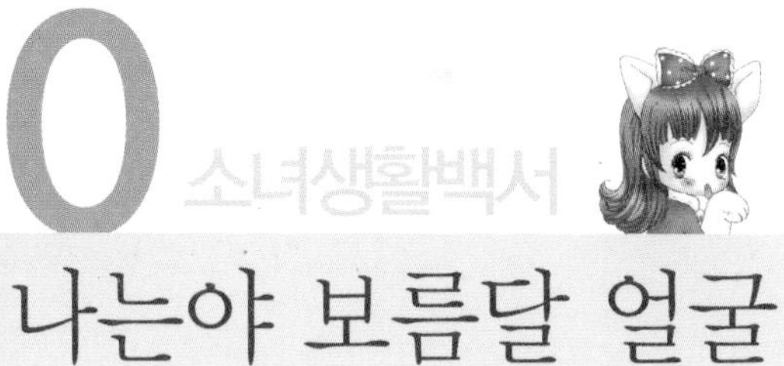

나는야 보름달 얼굴

사진을 찍을 때 친구들이 모두 내 옆에 서려고 한다면 다음 사항을 의심해 볼 것!

내 얼굴 크기가 다른 애들보다 현저히 크다!

실제 사진들을 분석하여 '달덩이'라는 것이 판명되면 즉시 '보름달처럼 커다란 얼굴 반달 만들기 작전'에 돌입해야 해.

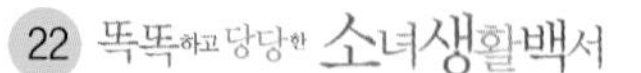

만약 크기를 줄이는 데 실패한다면 얼굴이 작아 보이는 머리 스타일로 바꿔 봐!

11 소녀생활백서

물과 친해야 피부미인이라고?

물을 우습게 봐선 피부 미인이 될 수 없어.
피부 미인이 되려면 물을 너무너무 사랑하는 금붕어가 되어야 해!

우리 몸의 70퍼센트가 물인 만큼 물은 우리에게 아주 중요해.
물은 우리 몸 속에 있는 찌꺼기들을 밖으로 내보내는 일을 해.
또, 우리 몸 곳곳에 수분을 공급해 주어서 건강하게 생활할 수 있게 해 주어.
우리 몸에 꼭 필요한 물! 하루에 얼마나 먹어야 하는지 궁금하지?
음식물 속에 포함된 수분 외에 적어도 1.5리터의 물을 마시는 게 좋아.
피부미인이 되고 싶다면 금붕어처럼 물을 달고 살자고!

내 얼굴은 기름 공장

잠깐 엎드려서 자고
일어났더니 공책이
기름종이가 되어 버렸어!
어떻게 한 거냐고? 마술을
부렸냐고?
아니, 내 얼굴이 한 일이야.
내 얼굴에 있는 피지가
종이에 묻어서 생긴 일이지.
내 얼굴은 기름 공장인가 봐.

피지 줄이는 방법

1. 세안 시 마지막 헹굼을 찬물로 한다.
2. 수분함량이 높고 알코올 함량이 낮은 스킨을 바른다.
3. 강렬한 태양을 피하고 유분이 적은 자외선 차단제를 사용한다.
4. 지방과 당분이 많이 함유된 식품은 피한다.

13 소녀생활백서

미인은 잠꾸러기?

우리가 잠든 사이에 피부에선 무슨 일이 일어날까?
우리 피부를 이루고 있는 작은 세포는 잠을 자는 사이에 많이 만들어져.
하루에 서너 시간밖에 안 자면서 피부가 좋아지길 바라는 건 말이 안 되지.
계속해서 건강한 세포가 만들어져야 피부도 건강해지니까.
특히 저녁 10시에서 새벽 2시 사이에는 자고 있는 게 좋아.
또 하루에 6~8시간은 잠을 자 줘야 하지.
잠을 충분히 자야 피부가 건강해지니까, '미인은 잠꾸러기' 라는 말도
맞는 말이겠지?

손톱은 껌이 아니야!

*손톱을 질겅질겅 씹는
친구들이 있어.
그러면 손톱도 미워지고
건강에도 좋지 않아!
손톱 밑에는 어마어마하게
많은 세균들이 살고 있거든.*

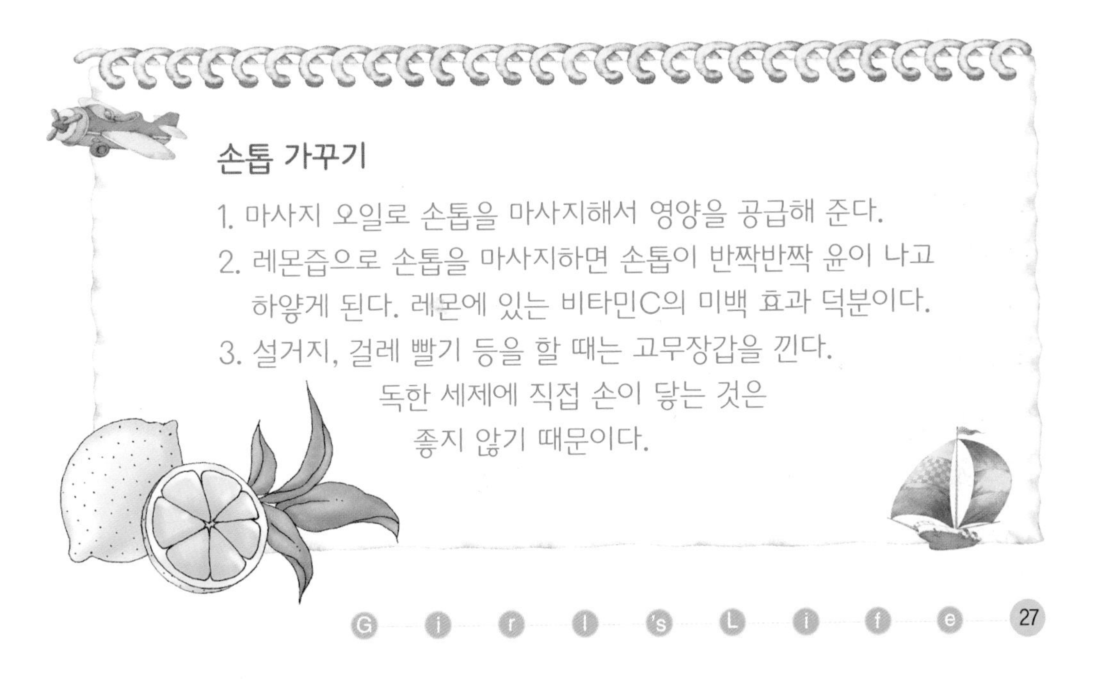

손톱 가꾸기

1. 마사지 오일로 손톱을 마사지해서 영양을 공급해 준다.
2. 레몬즙으로 손톱을 마사지하면 손톱이 반짝반짝 윤이 나고 하얗게 된다. 레몬에 있는 비타민C의 미백 효과 덕분이다.
3. 설거지, 걸레 빨기 등을 할 때는 고무장갑을 낀다. 독한 세제에 직접 손이 닿는 것은 좋지 않기 때문이다.

15 소녀생활백서

만병통치약!

우울하거나, 공부해도 집중이 안 되거나, 몸이 늘 피곤하거나, 몸매가 마음에 안 든다면 운동을 할 것!
세상에 만병통치약이 있다면 그건 바로 '운동'이거든!

운동 생활화하기 프로젝트!

1. 엘리베이터 멀리하기! – 계단은 훌륭한 운동기구, 걸어서 다니자!
2. 자동차 멀리하기! – 짧은 거리는 걸어다니자. 연료비도 줄어든다.
3. 빠르게 걷기! – 빨리 걸으면 시간에 비해 더 큰 효과를 볼 수 있다.
4. 컴퓨터 게임, 텔레비전 멀리하기 – 앉아 있는 시간이 많아지면 그만큼 운동하는 시간이 줄어든다.
5. 애완동물 사랑하기 – 애완동물과 함께 산책하는 시간을 늘리면 저절로 운동량이 많아진다.

미소는 성공의 지름길

성공한 사람들의 공통점 중에 하나는 항상 미소를 짓는다는 거야.
화가 나는 일이 있어도 미소를 잃지 않는다면 인생의 반은 성공한 셈이지.
얼굴을 찌푸리고 있는 사람을 좋아할 사람은 없으니까!
가족들에게, 친구들에게 그리고 선생님에게 예쁜 미소를 보여 봐!
너를 대하는 사람들의 태도도 그리고 너의 마음도 한결 부드러워질 거야.

17 소녀생활백서

밤 12시에 울리는 전화벨 소리

땡땡땡··· 따르르릉······!

밤 12시를 가리키는 종이 울리자마자 으스스한 전화벨 소리가 들린다.
그 소리에 성은이 엄마는 잠에서 깬다.
겁이 많은 성은이 엄마는 덜덜 떨리는 손으로 수화기를 들어 귀에 갖다 댄다.
"여··· 여보세요?"
"거기··· 성은이네 집이죠?"
성은이 친구 민정이는 평소의 장난기를 살려 으스스한 목소리로 말했다.
"지금이 몇 시인 줄 알아? 너 지금 아줌마랑 귀신 놀이 하니?"
뒤늦게 누구인지 안 성은이 엄마는 화를 낸다.
그런데도 민정이는 자기가 왜 혼나는지도 모른다.

민정이에게 교양 있는 숙녀가 되기 위한 '전화 예절 교육'을 받을 것을 권한다.

예비 숙녀의 전화 에티켓!

1. 너무 늦은 시간이나 이른 시간에 다른 사람에게 전화를 거는 것은 예의에 어긋난다. 단잠을 깨우는 전화벨 소리를 좋아할 사람은 아무도 없으니까.
2. 전화를 했을 때, 자기가 누구인지부터 밝힌다.
3. 얼굴이 보이지 않지만 상냥한 말투로 말한다.
4. 버스나 지하철 같은 공공장소에서 휴대전화를 사용할 경우, 벨소리를 진동으로 한다. 그리고 전화를 받을 때도 작은 소리로 조용조용 말한다.
5. 전화 내용을 전해야 할 때는 메모지에 적어 잊지 말고 전달한다.

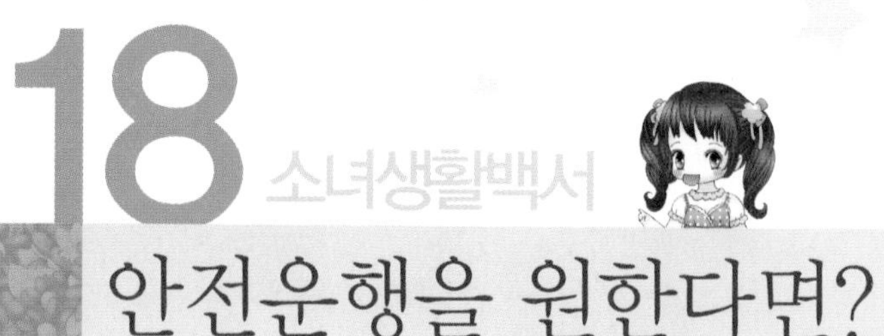

안전운행을 원한다면?

버스를 탄 이상, 우리의 안전은 버스 운전 기사의 손에 달려 있어. 버스 운전 기사를 자꾸 신경 쓰이게 만드는 일은 무척 위험한 일이지.

Tip

버스 안에서 절대로 하지 말아야 할 것!

1. 버스에서 친구들과 큰 소리로 떠들기!
2. 왔다 갔다 자꾸 자리 옮기기!
3. 냄새 풍기는 음식 먹기!
4. 운전 기사에게 자꾸 말시키기!
5. 친구랑 자리 놓고 싸우기!

쓰레기는 쓰레기통에!

가방에 있는 지저분한 쓰레기들을 정리하는 건 좋아.
그런데 그 쓰레기를 길에 버리는 건 무슨 심보일까?
자기 가방은 깨끗해야 하고, 길은 더러워져도 상관 없다는 건가?
만약 모든 사람이 길에 쓰레기를 버린다면 우리는 모두
쓰레기장에 살게 될 거야.
냄새나고 지저분한 쓰레기장에서 살고 싶지 않다면
쓰레기는 쓰레기통에 버리는 기본을 지키면서 살자고!
길에 버려진 쓰레기를 조용히 줍는 사람, 바로 나부터
그런 마음씨 고운 사람이 되는 건 어떨까?

20 소녀생활백서

생일 선물 재활용!

은영이에게 받은 생일 선물!
포장까지 그대로 두었다가 주희 생일날
선물로 주었다.
윽! 그런데 이 사실을 알게 된 은영이는
울고불고 난리가 났고, 난 용서를 빌면서
일주일을 보내야 했다.
쓰레기는 재활용하더라도 선물은
절대로 재활용하지 말아야겠다.

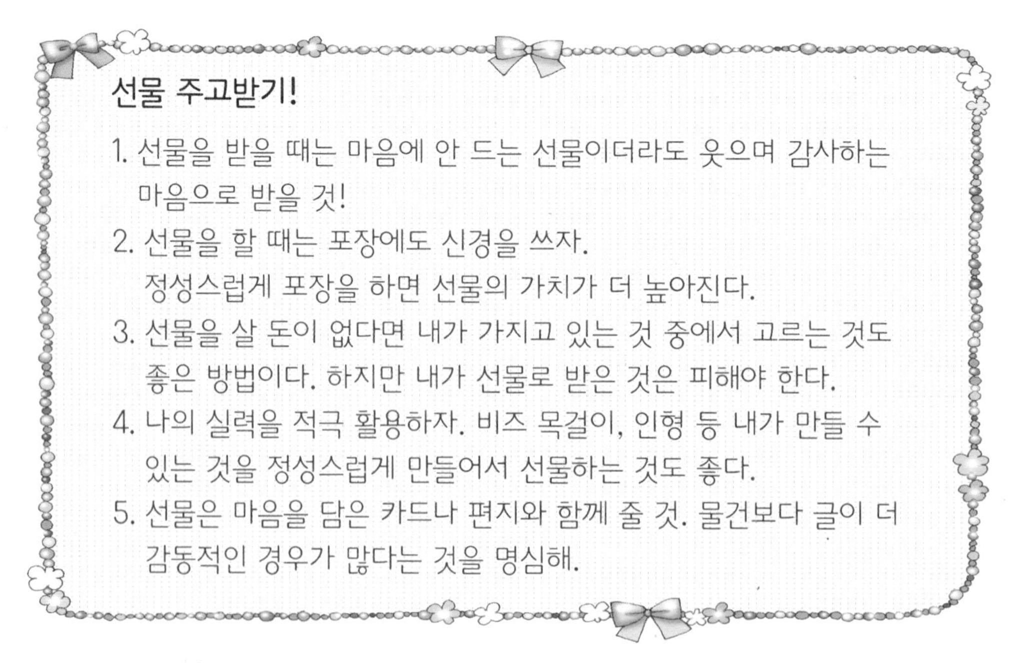

선물 주고받기!

1. 선물을 받을 때는 마음에 안 드는 선물이더라도 웃으며 감사하는 마음으로 받을 것!
2. 선물을 할 때는 포장에도 신경을 쓰자.
   정성스럽게 포장을 하면 선물의 가치가 더 높아진다.
3. 선물을 살 돈이 없다면 내가 가지고 있는 것 중에서 고르는 것도 좋은 방법이다. 하지만 내가 선물로 받은 것은 피해야 한다.
4. 나의 실력을 적극 활용하자. 비즈 목걸이, 인형 등 내가 만들 수 있는 것을 정성스럽게 만들어서 선물하는 것도 좋다.
5. 선물은 마음을 담은 카드나 편지와 함께 줄 것. 물건보다 글이 더 감동적인 경우가 많다는 것을 명심해.

가슴이 아파!

큰 가슴, 작은 가슴, 짝짝이 가슴, 봉긋한 가슴, 납작한 가슴…
사람들의 얼굴 모양이 제각각이듯 가슴 모양도 서로 달라.

젖가슴이 자라는 건 너무 신기한 일이야.
남자들은 모르는 여자들만의 세계로 들어왔다는 게 무척 설레기도 해.
여자의 몸이 참 신비롭다는 생각이 들지 않니?
하지만 고민이 생기기도 하지. 젖가슴이 너무 작다고, 또는 너무 크다고 말이야.
하지만 아직은 가슴이 자라는 중이니까 걱정할 필요 없어.
가슴이 늦게 자라는 사람도 있고, 일찍 자라는 사람도 있으니까.

22 소녀생활백서

센스 있게 속옷 고르기!

속옷을 사러 가서 절대 엄마의 취향에 맞추지 말 것! 엄마의 속옷 취향은 20년 전의 유행을 따르거나 지나치게 유아적인 게 많으니까. 우리는 센스 있는 소녀답게 우리에게 어울리는 속옷을 골라 보자고!

1. 색깔: 무늬가 없는 살색이나 분홍색 속옷이 제일 좋아. 얇은 하얀색의 옷을 입어도 잘 비치지 않으니까.

2. 사이즈: 브래지어의 숫자는 밑가슴 둘레를 뜻해. 그리고 A, B, C는 가슴을 감싸는 부분의 크기를 뜻하지. A가 가장 작고, 뒤로 갈수록 점점 커져.

3. 종류: 아직 가슴이 조금밖에 나오지 않았다면 가슴부분이 두툼하게 만들어진 브라러닝이나 스포츠 브라를 사용해도 돼.

4. 멋내기: 브래지어와 팬티를 세트로 입으면 예뻐 보여. 또, 투명이나 알록달록한 예쁜 무늬로 끈을 바꿔 낄 수도 있어.

5. 착용하기: 처음에 너무 어색하다면 조금씩 브래지어 착용하는 시간을 늘려 봐. 그리고 잘 때는 몸을 꽉 죄는 브래지어를 풀어 두는 것이 건강에 좋아. 하지만 무엇보다 자기에게 잘 맞는 사이즈를 고르는 게 중요해.

23 소녀생활백서

갑갑한 브래지어!

귀찮아서 브래지어를 안 하고 학교에 갔어. 그런데 글쎄 체육시간에 달리기 계주를 한다지 뭐야. 어쩌면 좋지? 남자애들이 달리기하는 여자아이들 가슴을 힐끔힐끔 쳐다보던데……. 브래지어를 안 해서 BP점(유두점)도 드러날 텐데 정말 걱정이야.

처음에는 철갑옷을 입은 것처럼 갑갑하지만 얼마 지나면 우리 몸의 일부처럼 편안해질 거야.
오히려 브래지어를 안 하면 허전할걸?
축 처진 가슴을 갖고 싶다면
브래지어를 안 해도 좋아.
가슴을 예쁘게 모아 주는 브래지어와 좀 더 친해지는 게 좋을 거야. 디자인이 마음에 드는 걸 고르는 것도 좋은 방법이야.

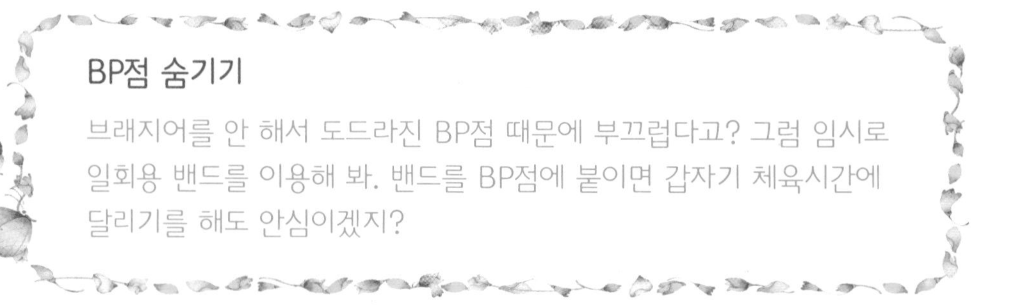

BP점 숨기기

브래지어를 안 해서 도드라진 BP점 때문에 부끄럽다고? 그럼 임시로 일회용 밴드를 이용해 봐. 밴드를 BP점에 붙이면 갑자기 체육시간에 달리기를 해도 안심이겠지?

언제 또 마법에 걸릴까?

달력에 용돈 받는 날 외에도 생리 시작
예정일도 체크해 놓을 것!
생리대도 없이 외출을 해서 옷을 빨갛게
물들이고 싶지 않다면 말이야.

●생리 시작 예정일 계산하기

1. 사람마다 조금씩 다르긴 하지만 생리는 보통 28일마다 해. 각자 자기가 며칠마다 생리를 시작하는지 체크해 두는 게 좋아.
2. 자기의 생리 주기를 파악했다면 생리를 시작한 날에서 그 주기만큼 더하면 돼. 만약 6월 10일날 생리를 시작 했고, 생리 주기가 30일이라면, 6월 10일로부터 30일 후에 또다시 생리가 시작될 거야.
3. 약간의 오차가 생길 수 있으므로 생리 예정일 3~4일 전부터 생리대를 꼭 챙겨야겠지?
4. 초경이 있은 후 얼마 동안은 주기가 들쑥날쑥해. 그러니까 주기가 일정하지 않다고 너무 걱정하지 않아도 돼.

25 소녀생활백서

생리대와 오리의 공통점

날개가 있다고 모두 하늘을
날 수 있다는 생각은 버려!
생리대도 오리처럼
날개가 있지만 하늘을
날 수는 없거든.

너, 오리
친구지?

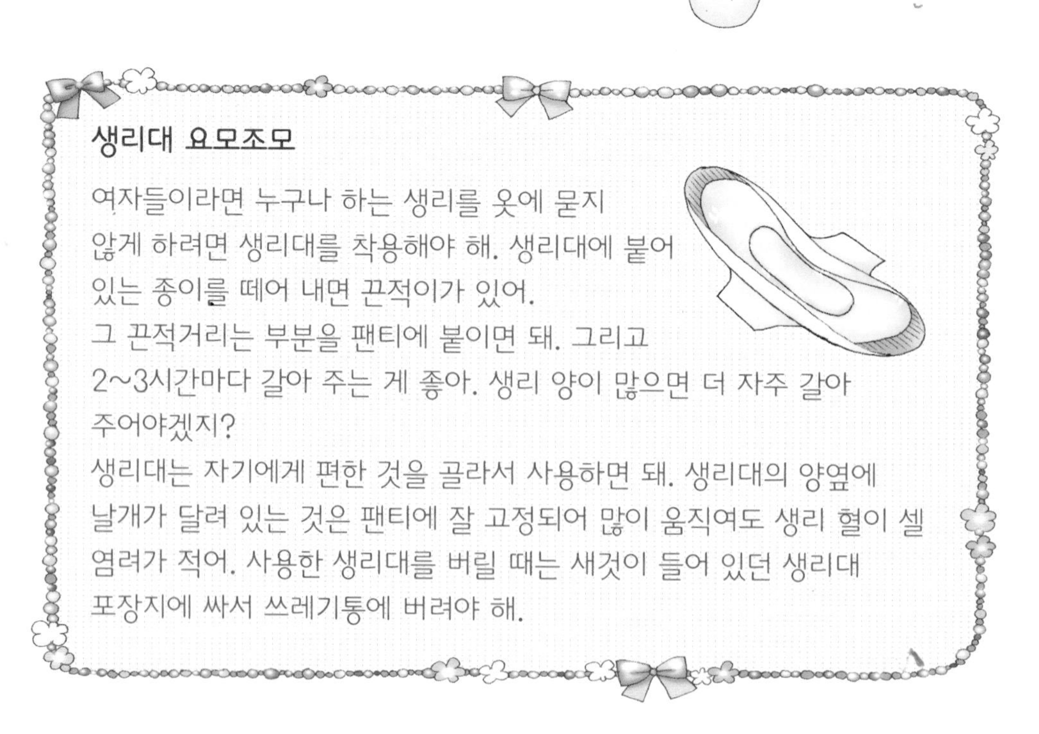

생리대 요모조모

여자들이라면 누구나 하는 생리를 옷에 묻지 않게 하려면 생리대를 착용해야 해. 생리대에 붙어 있는 종이를 떼어 내면 끈적이가 있어.
그 끈적거리는 부분을 팬티에 붙이면 돼. 그리고 2~3시간마다 갈아 주는 게 좋아. 생리 양이 많으면 더 자주 갈아 주어야겠지?
생리대는 자기에게 편한 것을 골라서 사용하면 돼. 생리대의 양옆에 날개가 달려 있는 것은 팬티에 잘 고정되어 많이 움직여도 생리 혈이 셀 염려가 적어. 사용한 생리대를 버릴 때는 새것이 들어 있던 생리대 포장지에 싸서 쓰레기통에 버려야 해.

여자들만의 아픔!

남자아이들은 군대 가려면 한참 멀었는데 여자들은 벌써부터 생리를 하잖아. 너무 억울해. 아빠 말씀이 남자들 군대 생활이 무지 힘들다던데, 매달 생리통 때문에 고통받는 우리보단 힘들진 않을 거야. 아마 남자아이들에게 매달 생리를 하며 생리통을 참아 내라고 한다면 당장에 군대로 달려갈걸?

생리할 때 찾아오는 불청객, 생리통!

생리통은 사람에 따라 달라. 심한 사람은 병원에 실려 갈 정도로 아프지만, 생리통을 거의 모르고 넘어가는 사람도 있으니까.
생리를 할 때뿐만 아니라, 시작하기 전부터 몸이 달라지기도 해.
사람마다 다르지만, 몸이 붓고, 체중이 늘거나 가슴과 종아리에 통증이 오기도 해. 그리고 머리가 아프고 우울해지거나 짜증이 잘 나기도 하지. 또 얼굴에 뾰루지가 생기기도 하고, 눈가가 어두워지기도 해. 그러니까 생리를 할 즈음에는 특별히 내 몸에 신경을 써 줘야 해!

27 소녀생활백서

내 말은 시속 몇 킬로미터?

촉새처럼 빠르게 말하는 사람은 시끄럽고 정신 없어 보여. 굼벵이가 기어가는 것처럼 느리게 말하는 사람은 답답하고 게을러 보이지. 자동차도 빨리 달리면 불안하고, 천천히 달리면 답답하잖아. 말을 할 때도 편안하고 유쾌한 안전속도를 지키자고!

소녀생활백서 28

선생님의 꾸중 피하는 비법

똑같이 잘못을 하고도 안 혼나는 친구가 있는가 하면,
꾸중을 듣는 친구도 있어.
또, 선생님께 혼나고 자리로 들어가다가 투덜대는 바람에
다시 불려 나가는 친구도 있지.

같은 잘못을 해서 선생님께
불려 나간 똑똑한 소녀와
어리석은 소녀.
어떻게 행동하느냐에 따라
두 소녀의 운명은 아주 많이 달라져.

똑똑한 소녀의 비법 공개!

1. 잘못을 뉘우치는 진지한 표정을 짓는다. (진심으로 뉘우치는 게 당연해.)
2. 시선은 45도 아래를 향한다. (잘못을 했을 때 선생님의 눈을 똑바로 보는 것은 버릇없는 태도야.)
3. 선생님께 공손한 말투로 '~해서 정말 잘못했습니다. 다시는 안 그러겠습니다.'라고 말한다.
4. 자리에 들어가기 전에 예의 바르게 인사한다.

29 소녀생활백서

지하철 안에서…

지하철에서 세 명 이상이 나를 째려보고 있다면
그건 내가 지금 뭔가 잘못된 행동을 하고 있다는 거야.

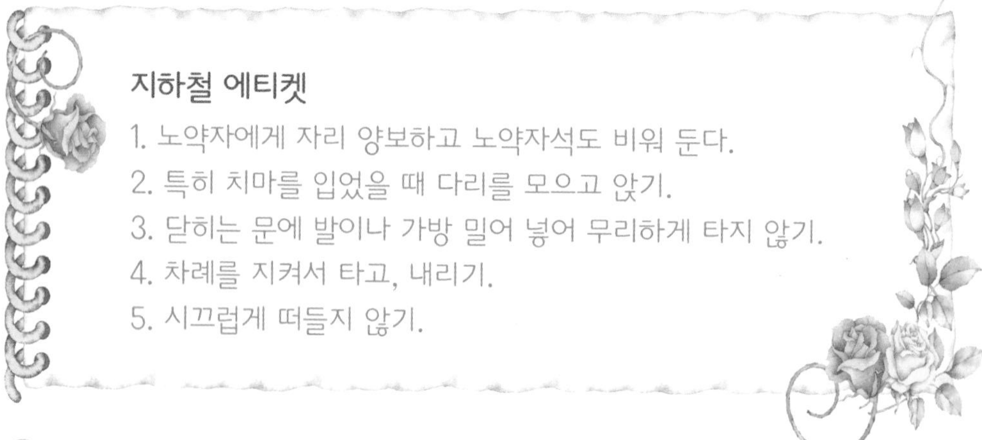

지하철 에티켓

1. 노약자에게 자리 양보하고 노약자석도 비워 둔다.
2. 특히 치마를 입었을 때 다리를 모으고 앉기.
3. 닫히는 문에 발이나 가방 밀어 넣어 무리하게 타지 않기.
4. 차례를 지켜서 타고, 내리기.
5. 시끄럽게 떠들지 않기.

친구들 험담은 금물!

친구들과 열심히 다른 친구들 험담을 하고 난 후, 화장실 가기가 두렵다.
내가 화장실에 간 사이에 친구들이 내 험담을 할까 봐.

열심히 다른 친구 험담을 하던 친구가 자리를 뜨면 결국 남은 친구들은 그 친구의 험담을 하게 될 거야. 뿌린 대로 거두는 법이니까.
험담은 습관과도 같아. 친구들의 나쁜 점보다는 좋은 점을 찾으려고 노력해 봐.
그리고 친구가 자리에 없을 때 나쁜 점 대신 좋은 점을 칭찬해 봐.
그러면 네 주위에는 전보다 더 좋은 친구들이 생길 거야.

31

소녀생활백서

책은 베개가 아니야!

책만 보면 잠이 온다고?
관심도 없고, 재미도 없는 책을 보면 당연히 그렇지!
이제는 내가 정말 관심 있는 책이나, 재미있는 책을 골라서 보자고!
언제까지나 책을 베개로만 사용할 수는 없잖아!

●책벌레 되기!

성공한 사람들의 공통점이 뭔 줄 알아?
그건 바로 엄청나게 책을 좋아한다는 거야.
물론 베고 자는 것 말고, 읽는 것 말이야.

책을 읽으면 다양한 지식을 쌓을 수도 있고
지혜도 쌓이니까 성공할 가능성이 높지.
'난 책 읽는 것 싫어하는데, 성공하기는 힘들겠다!'라고 생각할 필요는 없어.
지금부터라도 책에 재미를 붙이면 되잖아?

책에 재미 붙이는 방법

1. 자기가 좋아하는 분야를 선택한다.
   (특이한 동물이나, 패션 코디법, 세계문화, 인형 만들기 등)
2. 선택한 분야와 관련된 책들을 찾는다.
3. 이 때 책이 너무 어려우면 머리가 뒤죽박죽 어지러워질 수 있으니까 처음에는 쉬운 책을 읽는 게 좋다.
4. 독서하기 좋은 조용하고 편안한 곳에서 책을 읽는다.
   시끄러운 곳에서는 집중하기 힘들다.

32 소녀생활백서

내 발은 까칠까칠 공룡 발

나의 아름다운 얼굴을 보고 반한
그 애! 그 애는 딱 내 이상형이었지.
그 애는 부끄러운지 얼굴을 붉히며
고개를 숙이더라.
그런데 그 애가 그만 까칠까칠 못생긴
내 발을 보고 만 거야.
그 애의 붉었던 얼굴은 하얘지더니
갑자기 바쁜 일이 생겼다며 가더라.
내 발이 그 아이를 '뻥!' 찬 셈이지.
정말 딱 내 이상형이었는데…….

예쁜 발 만들기!

1. 오돌토돌 알갱이가 들어 있는 스크럽제로 발에 있는 굳은살을 제거해.
2. 비누로 깨끗하게 씻은 다음 물기를 닦아 내.
3. 그 다음 마사지 오일을 바르고 발을 랩으로 감싸.
4. 랩 위에 양말을 신고 잠자리에 들어가.

아침에 일어나면 까칠까칠했던 발이 보들보들한 고운 발로 바뀌어 있을 거야.

강아지와 평화롭게 살아가기

- 이름: 뽀삐
- 성별: 수컷
- 나이: 6개월
- 특기: 내 이불에 오줌 싸기
- 취미: 내 물건 물어뜯기
- 경력: 새로 산 다이어리 물어뜯음,
  신발에 오줌 쌈, 장롱 긁어 놓음…….

귀엽고 사랑스러운 강아지와 평화롭게 살아 가기 위해서는 많은 노력이 필요해. 특히 배변습관은 어렸을 때부터 잘 길들여야 하지. 수컷의 경우 중성수술을 하면 대부분 영역표시(이곳저곳에 소변으로 자기 영역임을 표시하는 행동)를 하는 습관이 없어져. 잘못을 했을 때는 바로 그 자리에서 짧게 '안 돼!'라고 얘기해. 그리고 잘했을 때는 칭찬과 함께 간식을 상으로 주면 좋아. 밥도 줘야 하고 버릇도 가르쳐야 하지만, 애완동물은 우리의 마음을 풍요롭고 따뜻하게 해 주는 좋은 친구야.

34 소녀생활백서

공부 잘하는 아이 Vs 공부 못하는 아이

공부를 잘하는 친구는
공부하기 전에 방청소를 하고,
공부를 못하는 친구는 공부하기 전에
컴퓨터 오락을 한다.

우등생의 공부 비법

방을 깨끗이 정리, 정돈해야 공부에 집중이 잘 돼.
특히 책상을 깨끗이 정리해야 해.
책상에 먼지와 뒤섞여서 물건들이 쌓여 있다면 책을 보다가도
자꾸 신경이 쓰일 거야.
그리고 산만한 분위기에서는 딴생각이 나기 딱 좋지.
공부하기 전에는 주변을 깨끗이 하고 마음을 차분하게 하는 게
좋아. 그렇다고 물건들을 다 끄집어 내서 대청소를 하느라
시간을 다 보내면 안 되겠지?

긍정적인 소녀가 아름답다!

자기 자신을 사랑할 줄 알아야 다른 사람도 사랑할 수 있어. 자기의 나쁜 점을 탓하기 보다는 자기의 좋은 점을 키워 나가는 게 진짜 아름다운 소녀의 모습이지.

나의 장점 리스트

왠지 기분이 나쁘고 자신감이 없어질 때는 이렇게 해 봐. 일기장을 꺼내서 좋아하는 펜으로 나의 장점들을 쭉 적어 보는 거야. 사소한 것이어도 좋아. 사소한 것들이 모여서 나를 이루는 거니까. 잘 웃는다거나, 인사를 잘 한다거나, 눈썹이 예쁘다거나, 버스에서 자리 양보를 잘 한다거나……. 생각해 보면 나의 장점은 일기장을 가득 메울 만큼 많을지도 몰라. 또 나에게는 내가 아는 장점도 있지만 내가 모르는 장점들도 있을 테니까.

블랙헤드 & 화이트헤드!

어느 날부터인지, 내 코에 까맣고 작은 점들이 생겨났어.
마치 딸기에 콕콕 박힌 씨처럼 말이야.
어쩌면 좋지? 이제 난 평생 딸기코로 살아야 하는 거야?

피지가 너무 많이 나오면 각질과 섞여서 모공을 막아.
피지가 점점 쌓이다 보면 볼록 튀어나온 화이트헤드가
돼! 그리고 화이트헤드가 오래 되면 검은 색으로
변해서 점처럼 보이게 되지. 이것을 블랙헤드라고 해.
둘 다 모공을 크게 만드는 피부의 불청객이지.

블랙헤드와 화이트헤드 없애기

1. 세안을 하기 전에 얼굴에 따뜻한 수건을 덮어 둔다.
   그래야 모공이 열리고 피지가 녹아서 깨끗이 세안할 수 있거든!
2. 아침, 저녁으로 꼭 세안한다.
   특히 블랙헤드가 있는 부분을 거품으로 세심하게 마사지해야 해.
3. 일주일에 한 번, 스크럽제로 묵은 각질을 벗겨 낸다.

공포의 여드름 피해 가기!

"귀신 백 번 만나는 게 나아? 아니면 얼굴에 여드름 백 개 나는 게 나아?" 이렇게 물어 보면 대부분 귀신을 만나고 말겠다고 할 거야. 귀신보다 더 무서운 공포의 여드름! 어떻게 하면 피해갈 수 있을까?

여드름, 안녕~!

1. 세균 접근 금지! (세균에 감염되면 여드름이 악화돼. 그러니까 더러운 손으로 얼굴을 만지는 일은 삼가야 해.)
2. 여드름 전용 화장품을 쓴다.
3. 세안은 아침, 저녁 두 번만 한다. (세안을 여러 번 하면 건조해진 피부를 보호하기 위해서 피지가 더 많이 나와.)
4. 라벤더나 티트리 오일을 면봉에 묻혀 여드름에 콕콕 찍듯이 발라 준다. (라벤더와 티트리 오일은 살균과 소염 작용을 하거든. 하지만 무척 강하니까 아주 조금씩만 사용해야 해.)
5. 스트레스를 운동으로 풀자! (스트레스는 여드름을 만드는 공장이야.)
6. 기름지고 단 음식을 피하고, 신선한 채소와 과일을 많이 먹는다.

38 소녀생활백서

통통 부은 얼굴, 감쪽같이 되돌리기!

어젯밤에 언니랑 싸우고 엉엉 울다가 잠이 들었어.
그런데 아침에 일어나 보니
눈이 통통 부어서 예쁜 내 눈동자가
안 보일 지경이지 뭐야.
다음부터는 아무리
화가 나도 자기 전에는
울지 말아야겠어.

넌
누구냐?

…

통통 부은 얼굴, 붓기 빼기

1. 냉장고에 젖은 수건을 넣어 둔다. 전날 미리 넣어 두면 편리하다.
2. 차가워지면 꺼내서 얼굴에 대고 꾹꾹 누른다.
3. 특히 눈이 심각하게 부었을 때는 숟가락 두 개를 차게 만든다. 그리고 숟가락의 안쪽 부분을 눈에 닿게 해서 베트맨 흉내를 내듯이 살짝 누른다. 너무 차가우면 눈과 살이 시릴 수 있으니까 적당한지 손등에 테스트 한 후에 사용한다.

어때? 빵빵했던 얼굴에 붓기가 빠졌지?

39

언제나 당당하고 예쁜 손

피아노 치기, 공기놀이, 글씨 쓰기, 물건 건네주기 등등.
내 손은 참 많은 일을 해.
그런데 왜 내가 좋아하는 사람들 앞에서는
거무튀튀한 내 손이 부끄러운 걸까?

고운 손 만들기!

준비물: 핸드크림, 가루비타민 또는
레몬즙, 손톱깎기, 랩

1. 손톱깎기로 손톱을 단정하게 다듬는다.
2. 손을 비누로 깨끗하게 씻는다.
3. 미지근한 물에 가루비타민을 넣고 약 10분 정도 손을 담근다.
4. 손의 물기를 수건으로 닦고 핸드크림을 듬뿍 바른다.
5. 손을 랩으로 감싸고 1시간 정도 그대로 둔다.

이렇게 하면 거칠었던 손이 하얗고
보들보들해질 거야.

40 소녀생활백서

예비숙녀의 필수품, 향수

우리 집 강아지도 개전용 향수가 있다.
왜 나만 향수가 없냐고 투덜댔더니
엄마가 달콤한 향이 나는
향수를 사 주셨다.
나는 향수를 처음 쓰니까
가볍게 사용할 수 있는
'오드콜로뉴'가 좋겠다고
하시며…….

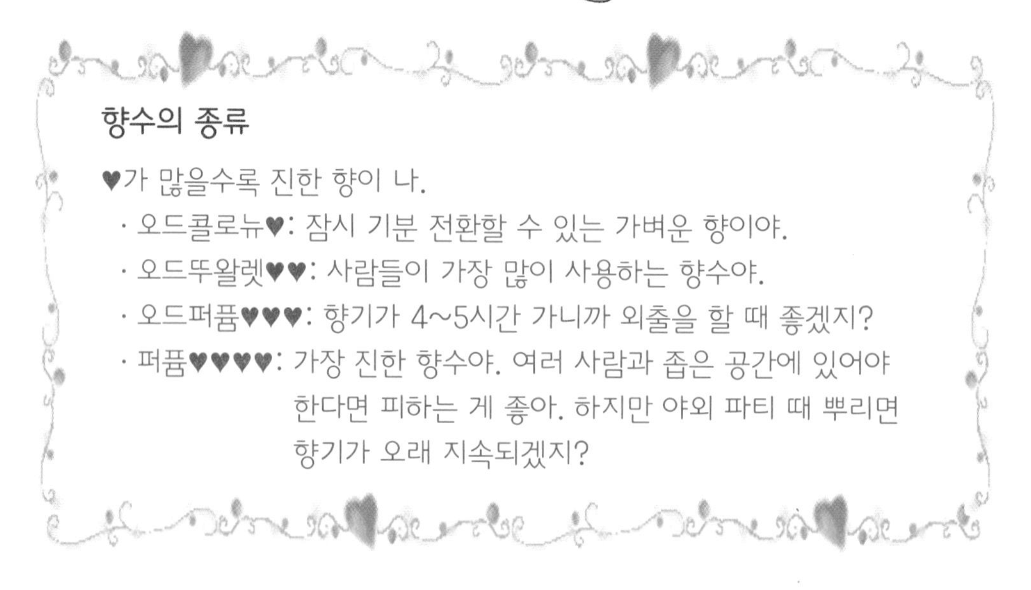

향수의 종류

♥가 많을수록 진한 향이 나.

- 오드콜로뉴♥: 잠시 기분 전환할 수 있는 가벼운 향이야.
- 오드뚜왈렛♥♥: 사람들이 가장 많이 사용하는 향수야.
- 오드퍼퓸♥♥♥: 향기가 4~5시간 가니까 외출을 할 때 좋겠지?
- 퍼퓸♥♥♥♥: 가장 진한 향수야. 여러 사람과 좁은 공간에 있어야 한다면 피하는 게 좋아. 하지만 야외 파티 때 뿌리면 향기가 오래 지속되겠지?

예비숙녀의 첫 번째 향수

1. 종류: 향이 은은한 오드콜로뉴나 오드뚜왈렛이 좋아.
   소녀들에게는 달콤한 꽃향기가 잘 어울리지.
   그리고 '칙칙' 뿌릴 수 있는 스프레이형이 편리해!

2. 사용법:
   ① 귀 뒤나 손목, 가슴에 뿌려.
   우리 몸의 맥박이 뛰는 곳에 향수를 뿌려야 향이 잘 퍼져 나가거든.
   ② 급할 때는 향수를 공중에 뿌린 다음 한 걸음 앞으로 가. 반대로 뒤로도 한 번 더! 이렇게 하면 향수가 우리 몸에 골고루 스며들지.

3. 보관: 그늘지고 서늘한 곳에 두는 게 좋아.

41 소녀생활백서

마음이 많이 아파!

어른이 되어 갈수록 힘든 일이
더 많아지는 것 같아.
그리고 몸이 아픈 것보다
마음 아픈 것이 더 견디기
어렵다는 걸 알게 되지.

아픈 마음 치료하기

1. 가장 친하고 믿을 만한 친구에게 마음을 털어놓는다.
   (내 말을 자기 일처럼 진지하게 들어줄 사람이어야 해.)
2. 작은 행복들을 찾아 내고, 더 많이 웃으려고 노력한다.
3. 자기가 좋아하는 운동을 한다. (운동은 마음까지 건강하게 해.)
4. 애완동물을 돌보거나, 식물을 가꾼다.
   (무언가를 돌볼 수 있다는 것은 오히려 내 마음에 큰 힘이 돼.)
5. 명상이나 기도를 한다. 잔잔하고 평화로운 음악을 듣는 것도 좋다.
6. 혼자 감당하기 힘든 일이라면 선생님이나 부모님께 도움을 청해 보자.

소녀생활백서 42

운동하면 살이 찐다고?

며칠 동안 정말 열심히 운동했어.
적어도 1킬로그램은 줄었겠지?
기대에 찬 마음으로 체중계에 올랐어.
그런데 이럴 수가! 오히려 체중이 늘었어.
살 빼고 입으려고 원피스까지 샀는데…….
나 그만 운동 포기해야 할까 봐.

운동을 하면 근육이 생기기 시작해.
근육은 지방보다 훨씬 무게가 많이
나가거든.
근육 1킬로그램은 지방 1킬로그램보다 훨씬 부피가 작아.
그러니, 몸무게는 늘었어도 보기에는 오히려 더 날씬해 보이지.
또 운동으로 인해 몸무게가 조금 불어나는 건 잠시야.
꾸준히 운동을 하면 필요이상의 많은 지방이 점점 사라지고
우리 몸은 건강한 근육이 늘어나면서 살이 쑥쑥 빠지지.

43 소녀생활백서

아름다운 머릿결을 위하여!

밤에 엄마 심부름으로 슈퍼마켓에 가는 길이었어.
어둡고 조용한 골목길이어서 너무 무서웠지.
그래서 힘차게 앞만 보고 달려갔어.
"으악! 도깨비야!"
마주오던 한 할머니께서 나를 보고 소리를 치시는 거야.
할머니는 바람에 흩날리는 나의 폭탄머리가 무서우셨나 봐.
게다가 할머니를 향해 쏜살같이 달려가고 있었으니까.
나의 거친 머릿결이 사람을 이렇게 무섭게 할 줄은 정말 몰랐어.

●비단 같은 머릿결 만들기

1. 머리카락을 구성하는 단백질이 많이 든 음식을 먹는다.
   (우유, 두유, 검은 콩, 검은 깨, 두부, 해산물, 달걀 등이 있지.)

2. 샴푸를 한 후 미지근한 물로 깨끗이 헹구고, 린스나 트리트먼트를 한다. (일주일에 한 번 헤어 팩을 해!)

3. 마지막으로 차가운 물로 헹군다.
   (차가운 물이 머릿결을 수축시켜 정돈해 주지.)

4. 수건으로 물기를 톡톡 두드려 닦아 낸다.
   (수건으로 비비면 머리카락이 상하거든.)

5. 시원한 바람으로 머리카락을 말린다.
   (드라이어의 뜨거운 바람은 머릿결을 상하게 해.)

6. 머리빗으로 두피까지 시원하게 빗질을 한다.

7. 머리카락 끝 부분에 헤어 에센스나 헤어 로션을 바른다.

44 소녀생활백서

색조화장, 아직은 참아 줘!

한창 투명한 피부를 자랑해야 할 나이에 파우더나 색조 화장품으로 가릴 필요는 없잖아?

엄마가 화장을 하는 걸 보면 마치 요술 같지?

눈썹도 그리시고, 아이섀도에 볼터치, 립스틱까지 바르시잖아.

그래서 따라해 보고 싶겠지만 아직은 참아 줘.

아직 연하고 고운 피부에 색조화장을 하면 피부가 숨을 못 쉬어서 모공이 넓어지고 거칠어져.

또, 독한 화장품으로 인해 생긴 트러블이 얼굴을 뒤덮어서 모자로 얼굴을 가리고 다녀야 할지도 몰라.

소녀생활백서 45

인터넷 중독에 빠지지 않으려면?

시간을 도둑맞고 있는 것처럼
하루가 너무 빨리 지나간다면
가만히 생각해 봐.
내가 하루에 인터넷하는 시간이
얼마나 되는지…….

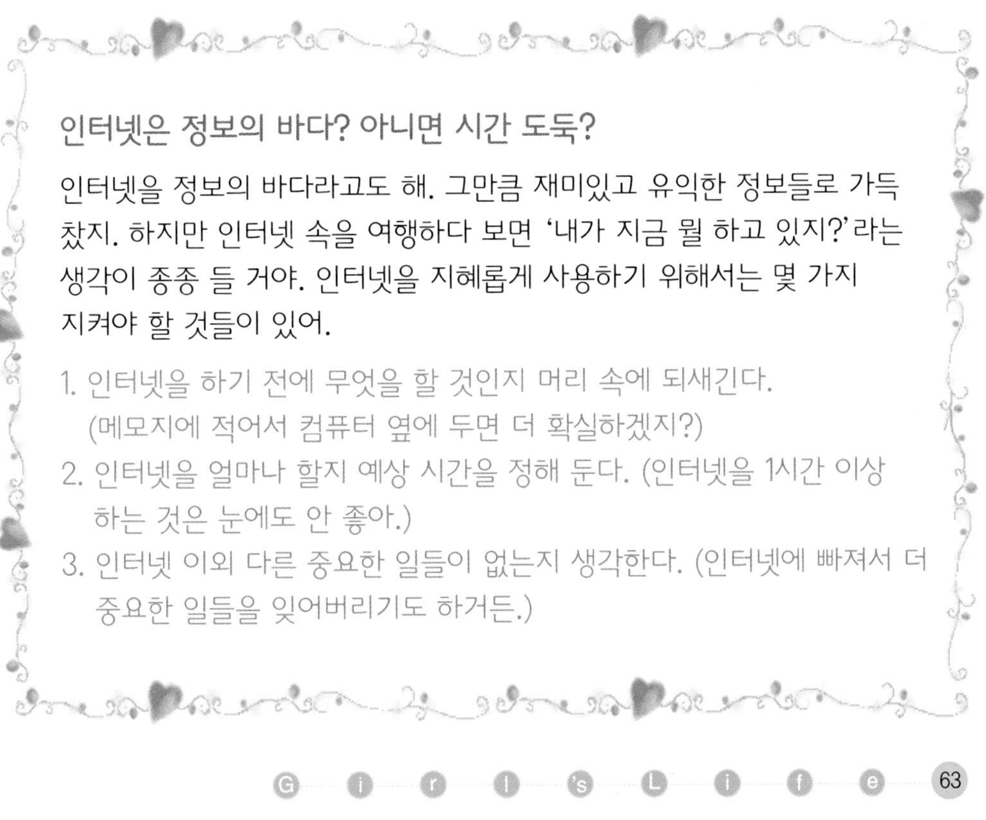

인터넷은 정보의 바다? 아니면 시간 도둑?

인터넷을 정보의 바다라고도 해. 그만큼 재미있고 유익한 정보들로 가득 찼지. 하지만 인터넷 속을 여행하다 보면 '내가 지금 뭘 하고 있지?'라는 생각이 종종 들 거야. 인터넷을 지혜롭게 사용하기 위해서는 몇 가지 지켜야 할 것들이 있어.

1. 인터넷을 하기 전에 무엇을 할 것인지 머리 속에 되새긴다. (메모지에 적어서 컴퓨터 옆에 두면 더 확실하겠지?)
2. 인터넷을 얼마나 할지 예상 시간을 정해 둔다. (인터넷을 1시간 이상 하는 것은 눈에도 안 좋아.)
3. 인터넷 이외 다른 중요한 일들이 없는지 생각한다. (인터넷에 빠져서 더 중요한 일들을 잊어버리기도 하거든.)

46 소녀생활백서

친구는 나와 달라!

거울에 비춰진 내 모습도 나와 똑같지 않아.
서로 좌우가 바뀌어 보이니까. 하물며 친구가 나와 똑같이 생각하고
행동하기를 바라는 건 지나친 욕심이 아닐까?

아무리 친한 친구 사이라도 늘 같은 생각을 할 수는 없어.
또 지금처럼 매일 붙어다닐 수도 없지.
나와 다른 친구의 모습을 인정하고, 각자 홀로서기를 할 줄 알아야 해.
그래야 서로를 존중하는 좋은 친구가 될 수 있어.

47

충고를 진지하게 받아들이는 자세!

아름답고 멋진 숙녀가 되기 위한 비법!

· *준비물: 수첩과 연필*

· *방법: 평소에 나와 가까이 지내는 가족과 친구들에게 나에 대해 물어 본다.*

· *질문내용:*

1. 나의 좋은 점은 무엇인가?
2. 나의 나쁜 점은 무엇인가?
3. 내가 예뻐 보일 때가 언제였나?
4. 내가 미워 보일 때가 언제였나?

지금 나의 모습이 어떤지 아는 것은 무척 중요한 일이거든. 나를 알고 적을 알면 백전백승(백 번 싸워서 백 번 이긴다는 뜻)! 나의 장점은 살리고, 단점은 줄여 가도록 노력해야 해. 그리고 아름다운 행동을 자주하고, 미워 보이는 행동을 하지 말아야지. 이것만 지켜도 멋진 숙녀가 될 수 있어!

48 소녀생활백서

내 인생의 보물지도는 무엇일까?

내가 닮고 싶은
사람을 정하는 것은
인생의 보물지도를 얻은
것과 마찬가지야.

'어떻게 살아야
겠다!' 또는
'누구처럼 살아야
겠다!'라는 생각,
해 본 적 있어?
없다고? 그럼 지금부터 어떤
사람처럼 되고 싶은지 생각해 봐. 닮고 싶은 사람을 정했다면 이제
그 사람처럼 되기 위해 열심히 노력하는 일만 남았네.
목표로 삼은 사람과 똑같이는 아니더라도 비슷하게는 될 수 있어.
또 우리에게는 무한한 가능성이 있으니까 목표로 삼은 사람보다 더 훌륭한
사람이 될 수도 있지.

부드럽게 말하기

친구가 나랑 다른 생각을 한다고 '그건 아니야!' 라고 말할 필요는 없어.
그렇게 말하면 친구는 분명 기분이 상할 거야.
'아니야!' 란 부정의 말 대신 나의 생각을 친구에게 부드럽게 말해 봐!
그럼 훨씬 재미있게 친구와 대화할 수 있어.

➔ B와 같이 말하는 것이 훨씬 부드럽지?
아마 친구도 내 의견을 받아들일 거야.

50 소녀생활백서

집중 또 집중!

친구가 나를 좋은 사람으로
생각하게 만들고 싶다면
친구의 말에 항상 귀 기울여.

친구의 '말'을 잘 듣는 방법

1. 말을 끊지 않는다.
2. 친구의 눈을 바라보며 '그랬구나!', '어머!' 등 잘 듣고 있다는 표시를 한다. 가끔 고개를 끄덕이는 것도 좋다.
3. 이야기를 들으며 다른 행동을 하지 않는다.
   펜을 돌리거나, 머리카락을 만지는 등의 행동은 금물!
4. 친구의 이야기가 끝나면 '너는 어떤 기분이었겠구나!'와 같은 말로 친구의 마음을 이해한다는 의사를 전한다. 또한 친구가 한 이야기에 대한 자기의 생각을 덧붙여 준다. 그래야 친구가 정말 '내 말을 열심히 듣고 있었구나!'라는 생각을 하고, 내 말에도 잘 경청해 준다.

칭찬, 돈 안 드는 선물!

'칭찬'은 친구가 나에게 주는
선물과도 같아!
사양하지 말고 감사히 받아!
그리고 너도 받은 것 이상으로
많이많이 나눠 줘.
'칭찬'은 돈 안 드는 훌륭한
선물이니까.

칭찬 받아들이기

'웃는 모습이 예뻐!', '너 노래 정말 잘 한다!' 이런 칭찬을 들으면 어떻게 대답해야 할지 모르겠지? 그래서 '아니야!', '내가 뭘!' 이런 말들로 마다하는 경우가 많아. '그럼!', '당연하지!'라고 말해서 잘난 체하는 아이가 되기는 싫으니까 말이야.
그럴 때는 '고마워!'라고 말하고 친구의 좋은 점도 칭찬해 줘. 그러면 둘 다 행복한 하루를 보내게 될 거야. 선물과도 같은 칭찬, 친구가 애써 준비한 선물은 감사히 받는 게 예의겠지?

52 소녀생활백서

자세 하나 바꿨을 뿐인데…

아무리 운동을 해도 엉덩이, 배, 허벅지 살이 빠지지 않는다면 자세를 의심해 볼 것! 나쁜 자세로 인해 골반이 뒤틀리면 근육이 약해져서 지방이 쌓이게 마련이거든!

다리를 꼬고 앉거나 한쪽 다리에만 체중을 실어서 서 있는 자세는 정말 안 좋아!

●몸매가 예뻐지는 골반 체조

엉덩이 관리법

엉덩이에게도 관심을 가져 줘야 해.
남들에게 보여 줄 일 없다고 내버려 두면,
먼 훗날 처지고 거칠어진 엉덩이 때문에
통곡할 일이 생길 테니까.

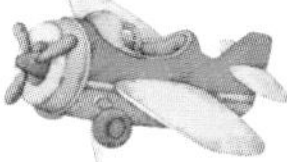

1. 편안한 속옷 입기! - 작아서 꽉 조이는 속옷은 혈액순환을 방해해.
2. 엉덩이에도 바디로션을 꼼꼼히 발라 줄 것! - 로션을 바를 때, 엉덩이 밑에서 위로 마사지 하면 일석이조!
3. 갑자기 살이 찌면 엉덩이가 오돌토돌해지거나, 살이 터서 금이 간 자국이 생겨. 갑자기 살찌지 않게 주의할 것!
4. 엉덩이가 처지는 것 예방하기! - 책상이나 벽을 잡고 다리를 뒤로 들어 올리는 운동이 좋아.

뒤로 다리를 곧게 편다

54 소녀생활백서

나는 통통한 뱃살 공주

가요 프로그램을 보고 있었다.
마침, 내가 좋아하는 댄스가수가 나왔다.
난 신이 나서 춤을 그대로 따라 췄다.
오호~ 거의 가수에 버금가는 춤 솜씨, 유연한 몸매.
하지만 거울 속에 비춰진 내 모습은 전혀 다른 동작에,
통통한 몸매를 하고 있었다.

●아직은 걱정하지 마!

아직은 뱃살 때문에 너무 걱정할 필요는 없어.
원래 여자에게는 자궁이 있기 때문에 남자보다 배가 조금 더 나오는 게 당연해.
그리고 아직 배에 있는 근육이 다 자라지 않았기 때문에 소녀의 배는 동그랗게
나오게 돼 있거든. 하지만 배가 너무 많이 나왔거나, 미리부터 날씬한 배를
만들기 위해 준비하고 싶다면 다 방법이 있지.

1. 항상 배를 안으로 당겨서 힘을 주고 다닌다.
2. 누워서 자전거 타는 것처럼 발을 들고 공중에서 저어 준다.
3. 윗몸일으키기 운동도 도움이 된다.

●납작한 배를 위한 배 마사지

55 소녀생활백서

국어사전이 주는 아름다움

적절한 때에 풍부한 단어를 사용할 줄 알아야 해.
지적인 소녀의 아름다움이야말로 가장 수준 높은 아름다움일 테니까.
국어사전은 소녀를 아름다운 숙녀로 변화시키는 방법을 알고 있지!

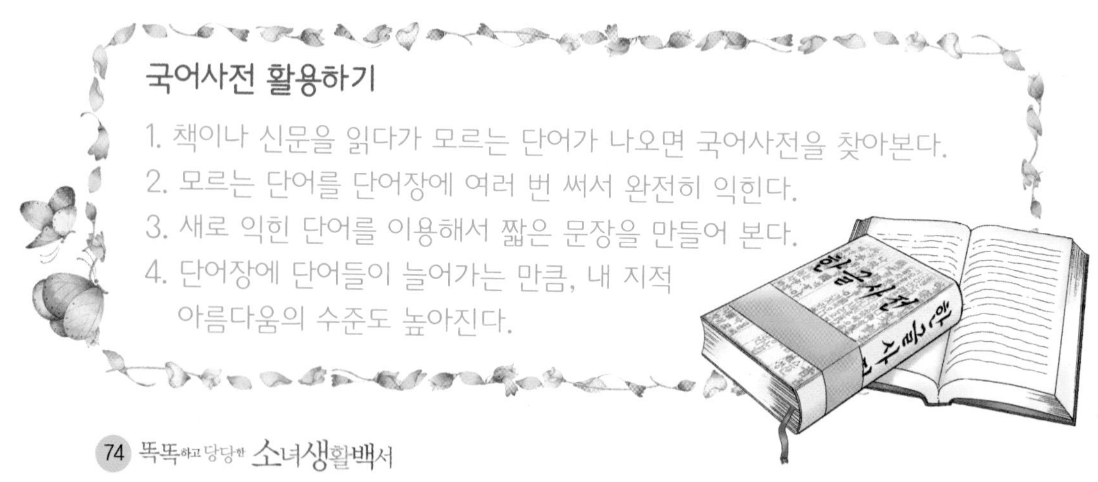

국어사전 활용하기

1. 책이나 신문을 읽다가 모르는 단어가 나오면 국어사전을 찾아본다.
2. 모르는 단어를 단어장에 여러 번 써서 완전히 익힌다.
3. 새로 익힌 단어를 이용해서 짧은 문장을 만들어 본다.
4. 단어장에 단어들이 늘어가는 만큼, 내 지적 아름다움의 수준도 높아진다.

누가 더 아름답니?

바른 자세로
앉아서 연필을
잡고 글씨를
또박또박 쓰고
있는 소녀!

그 옆에
엎드려서
연필을 대충
잡고 글씨를
휘갈겨 쓰고
있는 소녀!

예쁜 글씨 쓰기

1. 자세: 허리를 세우고, 자세를 바르게 한다.
   바르게 앉아야 집중력도 생기고 오래 앉아 있을 수 있다.
2. 연필 잡기: 엄지와 검지로 연필을 잡고 가운데 손가락으로 연필을 받친다. 그리고 연필은 세게 쥐면 조금만 써도 손이 아프고, 굳은살도 많이 생기므로 가볍게 잡는다.
3. 글씨 모양: 각각의 글씨 크기와 높낮이를 맞춘다.

57 소녀생활백서

자신감의 힘!

자신감이 없으면 아무것도 할 수 없어.
훌륭한 배를 가지고 있어도 자신감이 없으면 배를 타고 바다로 나갈 수 없지.
하지만 보잘것없는 배를 가지고 있다 해도 자신감이 있다면 바다에 나가
고기를 잡아 올 수 있어.
자, 이제 너도 자신감이 넘치는 소녀가 되어 당당하게 배를 타고
바다로 나가 봐!

나와 내 친구와 다른 점…

내 친구랑 나는 몸무게와 키가 똑같아. 그런데 학교에서 하는 연극에서 친구는 공주 역할을, 나는 뚱뚱한 하녀 역할을 맡았지.

사람들은 내 친구가 나보다 키도 크고 날씬하다고 생각해. 체중계를 가져와서 확인 시켜 줄 수도 없고……. 너무 억울해!

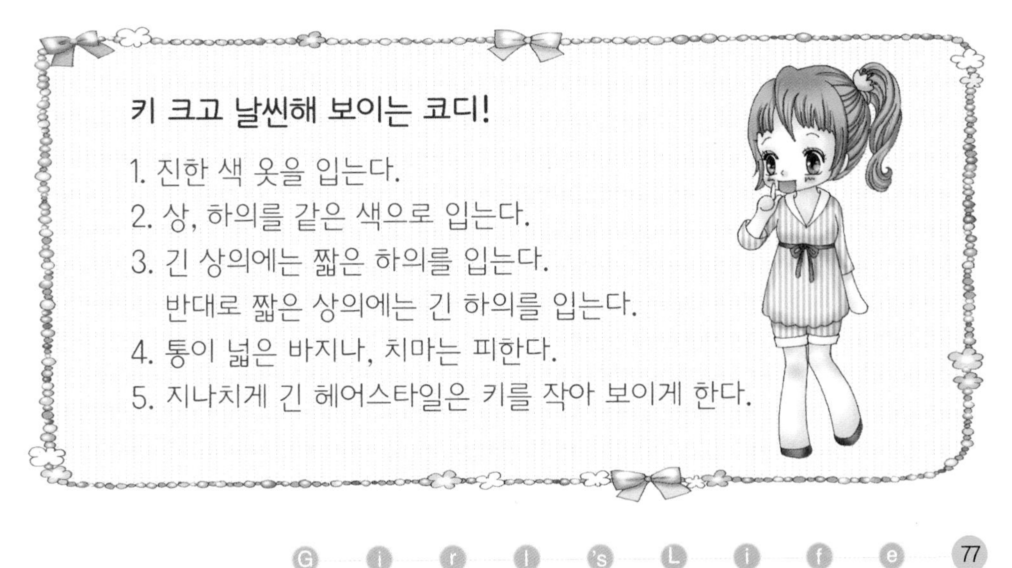

키 크고 날씬해 보이는 코디!

1. 진한 색 옷을 입는다.
2. 상, 하의를 같은 색으로 입는다.
3. 긴 상의에는 짧은 하의를 입는다.
   반대로 짧은 상의에는 긴 하의를 입는다.
4. 통이 넓은 바지나, 치마는 피한다.
5. 지나치게 긴 헤어스타일은 키를 작아 보이게 한다.

59 소녀생활백서

예뻐지는 지압

특종이야, 특종!
목 뒤에 천추라는
부분을 자극하면
혈액순환이 좋아져서
얼굴과 목의
피부에 생기가 돈대.
천추에 혈관과 신경 조직이
많이 지나가거든.

●천추 자극하기

1. 양손 엄지손가락을 천추에 댄다.
2. 작은 원을 그리듯이 꼭꼭 눌러 준다.
3. 앞뒤, 좌우로 목운동을 해서 마무리한다.

친구나 가족끼리 서로 해 주면
더욱 좋겠지?

나는 여자이니까!

'나는 여자니까 안 될 거야.'라는 말로 자기를 가둬 두지 마!
세상의 훌륭한 사람 중에 여자가 얼마나 많다고. 여자들이 가진 꼼꼼함과 섬세함을 살린다면 어떤 분야에서든지 빛을 발할 수 있을 거야.
앞으로는 여자라는 자부심을 느껴 봐.

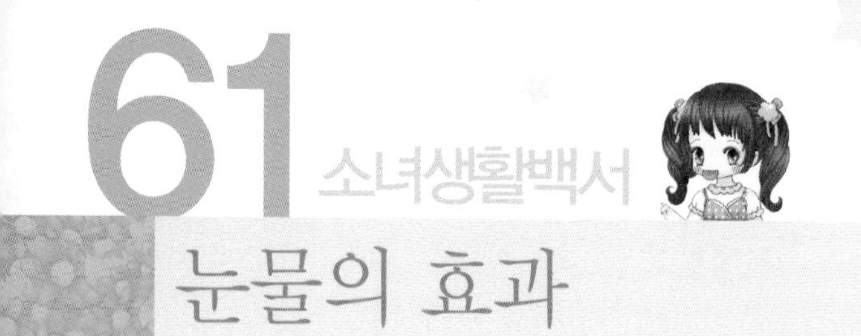

눈물의 효과

밤늦게까지 책을 읽었어.
엄마한테 들킬까 봐 이불을 뒤집어쓰고 몰래 읽었지.
어두운 곳에서 책을 봐서 그런지
눈이 따갑고 눈물이 나더라.
그 순간 엄마가 이불을 들춘 거야.
"너, 왜 울어? 무슨 일 있었니?"
내 눈을 본 엄마는 내가 슬퍼서 우는
줄 알고 다정하게 말씀하셨어.
'후유,' 얼마나 다행이었는지 몰라.

눈의 피로 풀기

1. 눈을 감고 눈동자를 상하 좌우로 돌려서 근육을 풀어 준다.
2. 화장 솜을 차갑게 해서 눈두덩에 올려 놓는다.
3. 눈과 코 사이에 움푹 팬 청명이란 곳을 손가락으로 눌러 준다.
4. 눈과 귀 사이에 있는 관자놀이를 손가락으로 눌러 준다.

엄마의 결정적인 한 마디

나를 학원에 보내려는 엄마!
그리고 학원을 빠지고 친구 생일 파티에 가려는 나!
우리는 서로 절대 양보할 수 없다며 대립했어.
"너, 학원 빠지면 용돈 안 줘!"
윽! 엄마의 결정적인 한 마디에 난 무릎 꿇고 말았어.
난 더 이상 아무 말도 하지 못하고 학원으로 가야 했지.

부모님 설득 법칙

1. 부모님이 기분 좋은 때를 공략하라.
2. 먼저 요즘 들어 자신이 잘한 점들을 부모님께 상기시킨다.
3. 무작정 때쓰지 말고 공손하고 예의바르게 말한다.
4. 요구를 들어주었을 때 앞으로 일어날 좋은 일들을 설명한다.

63

잔소리 피하는 요령

아침부터 시작되는 엄마의 잔소리!
하루 종일 미사일처럼 나의 뒤를 졸졸
쫓아다니지. 지구를 떠나고 싶다는
생각마저 들게 한다니까.
그런데 그거 알아?
엄마도 잔소리를 하는 게 무척
힘들고 싫다는 것!

Tip

엄마의 잔소리를 피하는 법

엄마의 잔소리를 피하는 법은 딱 하나야.
엄마에게 잔소리 들을 일을 안 하는 거지.
아침에 일찍 일어나고, 공부를 알아서 하고,
방도 깨끗이 청소하면 되잖아.
생각해 보면 그리 어려운 일도 아니야.
그리고 우리에게 애정과 관심을 갖고 잔소리를 해 주시는
엄마에게도 감사해야 해.

예쁘게 웃는 센스

친구들과 동물원에 갔어.
그런데 아이들이 내 잃어버린
동생을 찾았다는 거야!
난 동생을 잃어버린 적이 없는데…….
친구들이 말한 내 동생은
얼룩말이었어.
나의 웃는 모습이랑 웃음소리가
얼룩말과 꼭 닮았다는 거야.
난 그날 하루 종일 입을 꾹 다물고 있었어.

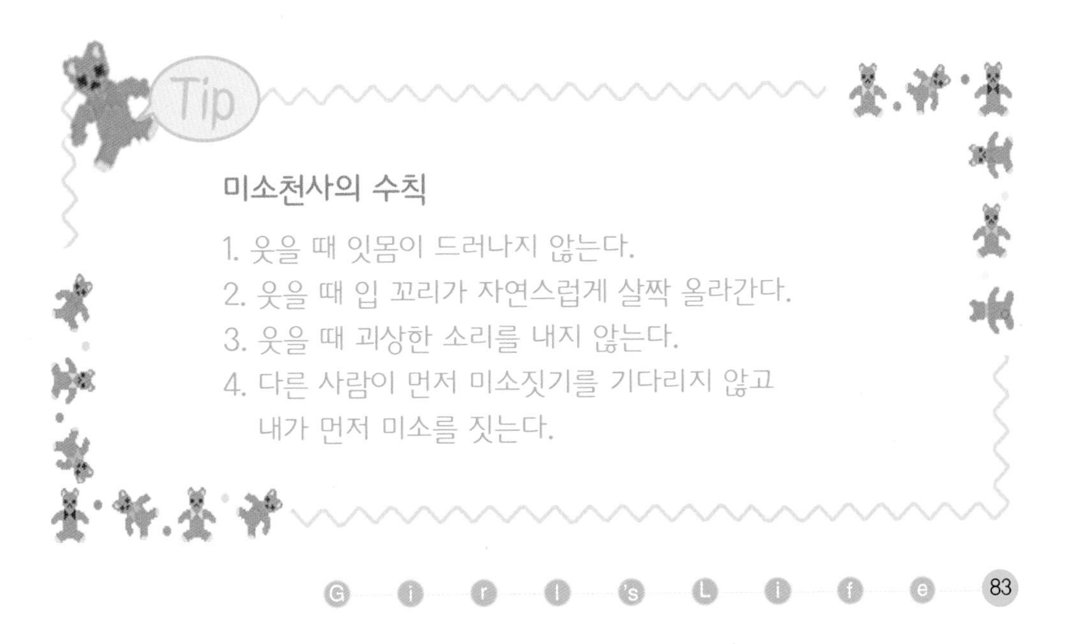

미소천사의 수칙

1. 웃을 때 잇몸이 드러나지 않는다.
2. 웃을 때 입 꼬리가 자연스럽게 살짝 올라간다.
3. 웃을 때 괴상한 소리를 내지 않는다.
4. 다른 사람이 먼저 미소짓기를 기다리지 않고
   내가 먼저 미소를 짓는다.

65 소녀생활백서

핑크빛 입술

내 친구 다빈이처럼
핑크빛 입술을 갖고 싶었어.
엄마 립스틱에 손대면 혼날 테고…
그래서 난 고추장을 입술에 발라 봤지.
하루 종일 입술이 화끈거려서
정말 혼났어.
토마토 케첩을 바를 걸 그랬나?

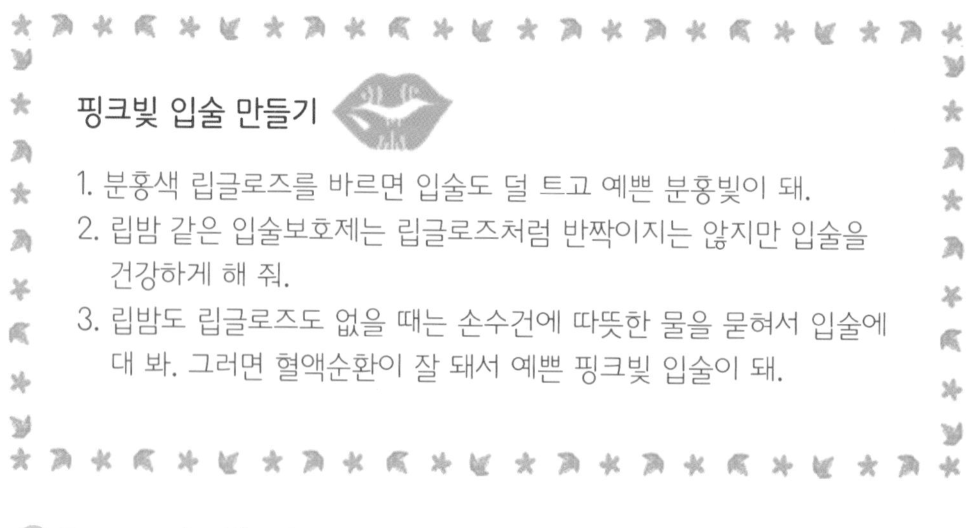

핑크빛 입술 만들기

1. 분홍색 립글로즈를 바르면 입술도 덜 트고 예쁜 분홍빛이 돼.
2. 립밤 같은 입술보호제는 립글로즈처럼 반짝이지는 않지만 입술을 건강하게 해 줘.
3. 립밤도 립글로즈도 없을 때는 손수건에 따뜻한 물을 묻혀서 입술에 대 봐. 그러면 혈액순환이 잘 돼서 예쁜 핑크빛 입술이 돼.

머리에서 고기 냄새가 폴폴!

가족들과 오랜만에 외식을 했어.
지글지글 맛있는 돼지갈비를 먹었지.
앗! 그런데 한참 후에도 머리카락에서
고기 냄새가 폴폴 나는 거야.
친구들 만나기로 했는데
어쩌면 좋지?
예비 숙녀가 지하철에서
고기 냄새를 풍길 순 없잖아.

냄새야, 사라져라!

정전기가 잘 일어나는 머리카락은 냄새를 끌어당기는 성질이 있어. 그래서 음식을 먹고 나면 유독 머리카락에서 냄새가 많이 나지.
그럴 땐, 휴지에 물을 묻혀서 머리를 톡톡 두드리듯이 닦아 내 봐. 냄새가 한결 없어질 거야.

머리카락에서 기름이 줄줄!

우리 나라에서는
기름이 안 난다고?
어? 이상하다!
내 머리카락에서는 매일매일
기름이 줄줄 흐르는데…….

기름 둥둥, 머리카락

머릿기름이 유난히 많은 사람은 샴푸 후 따뜻한 물에 머리카락을 2~3분 정도 담그고 있어. 기름은 따뜻한 물에서 잘 녹거든. 그리고나서 다시 한 번 샴푸를 해서 물에 녹은 머릿기름을 깨끗이 씻어 내. 그럼 머릿기름이 많이 줄어들 거야.

기발한 아이디어

남과 똑같이 생각하면 마음이 맞는 친구가 많이 생긴다.
하지만 남과 다르게 생각하면 세상을 앞서 나가는 '리더'가 될 수 있다.

Tip

기발한 아이디어 생각해 내기

1. 고정관념 버리기 – 기발한 아이디어를 생각해 내려면 가장 먼저 틀에 박힌 생각은 버려야 해.
2. 반대로 생각하기 – '차가운 불은 없을까?', '외계인은 거꾸로 걸어 다니지 않을까?' 하는 일반상식과 반대되는 생각을 해 봐.
3. 생각의 꼬리 이어가기 – 한 가지 사물에서 떠오르는 다양한 생각들을 하다 보면 좋은 아이디어가 떠오르기도 해.
4. 퍼즐 맞추기 – 서로 다른 의견에서 장점만을 골라 짜 맞춰 봐. 더 새롭고 기발한 아이디어가 될 수 있어.

상상을 실천으로!

한 소녀는 자기가 부자가 되는 상상만 했어.
또다른 한 소녀는 부자가 되기 위해 매일 노력을 했지.
먼 훗날 누가 부자가 되었을까?
그래, 맞아! 상상만 하지 않고 실천에 옮긴 소녀가 부자가 되었어.
아무리 훌륭한 상상이라도 상상만으로는 쌀 한 톨도 만들어 낼 수 없어.
상상을 실천으로 옮겼을 때 멋진 결과물을 볼 수 있는 거라고!

걸음이 이상한 소녀

그 애 앞을 지날 때면 무척 긴장이 돼.
아주 멋지게 걷고 싶은데
잘 안 되지 뭐야.
오늘은 오른 팔이
나갈 때 오른 발이
따라 나가더라.
완전 최악이었어.

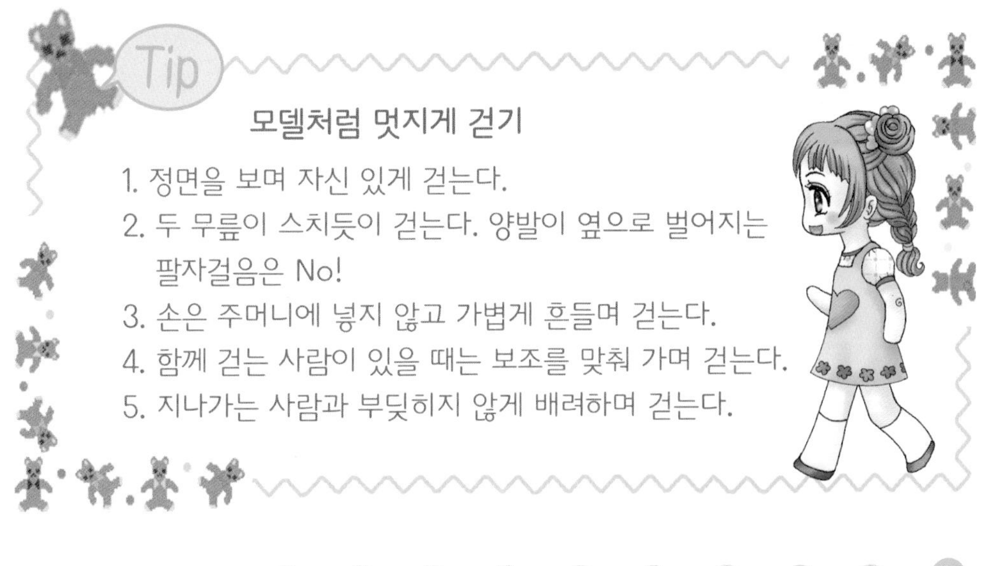

Tip

모델처럼 멋지게 걷기

1. 정면을 보며 자신 있게 걷는다.
2. 두 무릎이 스치듯이 걷는다. 양발이 옆으로 벌어지는 팔자걸음은 No!
3. 손은 주머니에 넣지 않고 가볍게 흔들며 걷는다.
4. 함께 걷는 사람이 있을 때는 보조를 맞춰 가며 걷는다.
5. 지나가는 사람과 부딪히지 않게 배려하며 걷는다.

71

함께 식사하고 싶은 친구

난 처음에는 여러 명의 친구들과 함께 점심을 먹었어.
그런데 친구들이 하나 둘 없어지는 거야. '펑' 하고 사라졌냐고?
아니야. 재미있고, 말 잘하는 보경이랑 먹겠다고 가 버렸어.
치! 밥 먹으면서 수다떠는 게 뭐가 그리 좋다고!
하지만 나도 보경이의 얘기가 궁금하긴 하다.

● 유쾌한 대화 시간

1. 친구들이 요즘 관심을 갖고 있는 것이 무엇인지 알아야 한다.
   - 친구들이 관심갖지 않는 이야기를 꺼낸다면 오히려 무안해질 수도 있어.

2. 친구들에게 말할 기회를 주어야 한다.
   - 나 혼자 이야기를 꺼내서 나 혼자 마무리를 짓는 것은 좋지 않아.

3. 순발력을 키워야 한다.
   - 아무리 재미있는 말도 타이밍이 맞지 않으면 오히려 이야기의 맥을 끊게 돼. 적절한 타이밍에 맞춰 말해야 해.

4. 고정관념을 깨는 기발한 생각으로 친구들을 즐겁게 한다.
   - 유머를 싫어하는 사람은 없으니까.

72 소녀생활백서

밀가루 같은 내 피부

엄마가 밀가루를 사 오라고 동생에게 심부름을 시켰어.
그런데 동생이 그러는 거야.
"누나한테 밀가루 많아요! 누나한테 달라고 해요!"
엄마와 나는 무슨 말인가 하고 의아해했어.
"누나 팔, 다리에 하얗게 일어난 거,
밀가루 아니야? 히히!"
동생은 '메롱' 하더니 방으로
숨어 버렸어.
바로 하얀 각질을 두고 한
얘기였어. 아이, 창피해라.

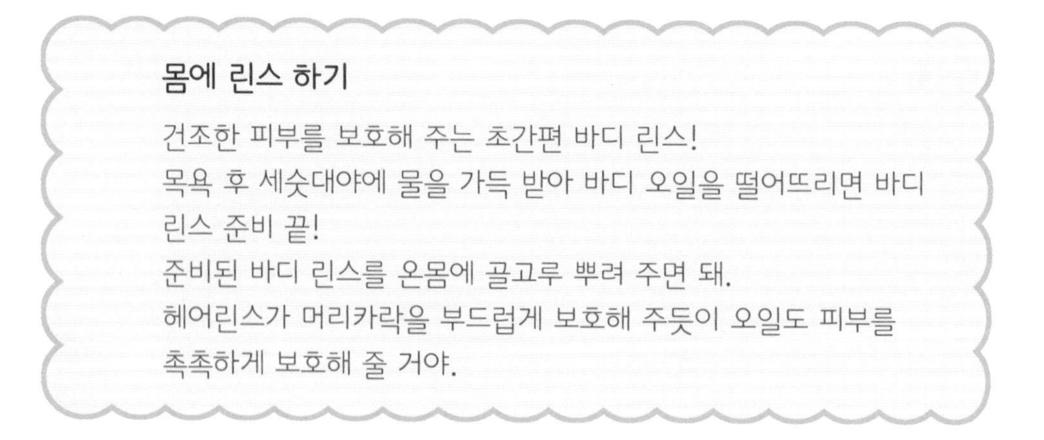

몸에 린스 하기

건조한 피부를 보호해 주는 초간편 바디 린스!
목욕 후 세숫대야에 물을 가득 받아 바디 오일을 떨어뜨리면 바디 린스 준비 끝!
준비된 바디 린스를 온몸에 골고루 뿌려 주면 돼.
헤어린스가 머리카락을 부드럽게 보호해 주듯이 오일도 피부를 촉촉하게 보호해 줄 거야.

잠이 안 와!

난쟁이들 *마을에 잠자는 숲 속의 공주가 살고 있었어요. 그런데 공주는 아무리 누워 있어도 잠이 안 왔어요. 빨리 잠들어야 멋진 왕자님이 찾아 올 텐데…….*

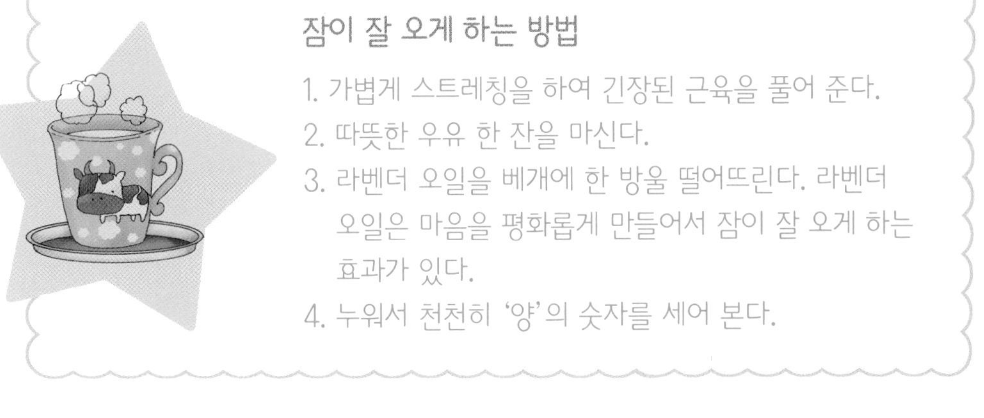

잠이 잘 오게 하는 방법

1. 가볍게 스트레칭을 하여 긴장된 근육을 풀어 준다.
2. 따뜻한 우유 한 잔을 마신다.
3. 라벤더 오일을 베개에 한 방울 떨어뜨린다. 라벤더 오일은 마음을 평화롭게 만들어서 잠이 잘 오게 하는 효과가 있다.
4. 누워서 천천히 '양'의 숫자를 세어 본다.

74 소녀생활백서

감자탕과 삼겹살의 만남!

우리 집 옷장에서는 별별 냄새가 다 난다.
아빠가 드신 삼겹살 냄새! 그리고 엄마가 드신 감자탕 냄새!
내 동생이 먹은 닭꼬치 냄새!
모두 모두 섞여서 정말
참기 어려운
냄새가 난다.

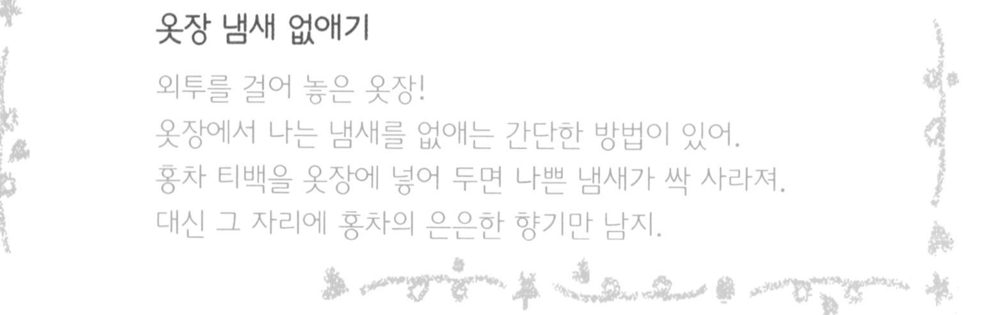

옷장 냄새 없애기

외투를 걸어 놓은 옷장!
옷장에서 나는 냄새를 없애는 간단한 방법이 있어.
홍차 티백을 옷장에 넣어 두면 나쁜 냄새가 싹 사라져.
대신 그 자리에 홍차의 은은한 향기만 남지.

소녀생활백서 75

뚱보식 식사 Vs 숙녀식 식사

음식을 꿀떡꿀떡
삼키면서 빨리 먹는 것은
뚱보식 식사!
음식을 천천히 꼭꼭
씹어 먹는 것은 우아한
숙녀식 건강 식사!
나는 어떤 식사를
하고 있을까?

음식을 천천히 먹어야 하는 이유

1. 음식을 꼭꼭 씹어 먹어야 침이 음식과 섞여서 소화가 잘 돼.
   음식이 소화되는 첫 번째 단계가 침이거든.
2. 천천히 꼭꼭 씹어 먹으면 우아한 숙녀처럼 보이지.
3. 음식을 먹어서 배가 부르다는 것을 뇌가 알기까지는 시간이 좀 걸려. 그러니까 음식을 빨리 먹으면 뇌는 미처 정보를 전달받지 못해서 여전히 배고프다고 생각하고 계속해서 먹게 돼. 따라서 느림보 뇌와 보조를 맞춰서 천천히 먹어야 해.

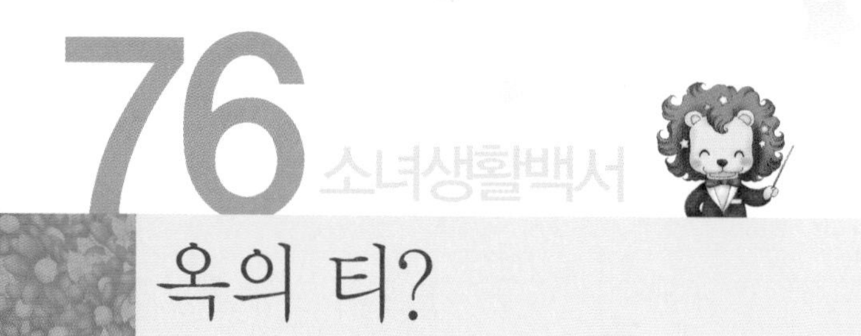

옥의 티?

이상형의 남자애가 나에게 다가와서 말하는 거야.
"난 너의 그런 점이 마음에 들어!"
난 얼굴이 빨개져서 대답했지.
"고마워! 그런데 나의 어떤 점?"
"네 코 옆에 있는 왕점 말이야!
히히히!"
그 애는 그렇게 말하고는
짓궂게 웃으며 도망갔어.
으~ 잡히기만 해 봐라!
이상형이고 뭐고, 국물도 없어!

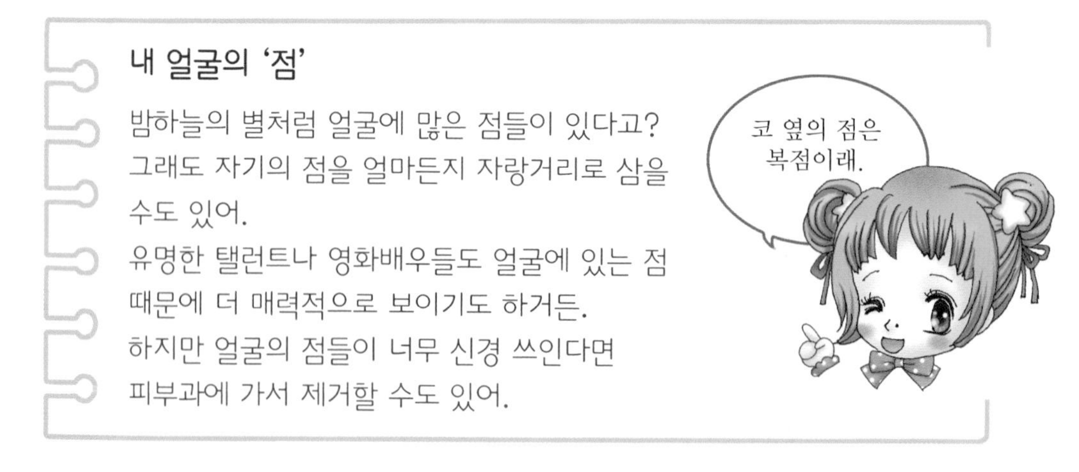

내 얼굴의 '점'

밤하늘의 별처럼 얼굴에 많은 점들이 있다고?
그래도 자기의 점을 얼마든지 자랑거리로 삼을 수도 있어.
유명한 탤런트나 영화배우들도 얼굴에 있는 점 때문에 더 매력적으로 보이기도 하거든.
하지만 얼굴의 점들이 너무 신경 쓰인다면
피부과에 가서 제거할 수도 있어.

난 원숭이인가?

아빠 몸에 털이 많아서 샴푸로 목욕을 해야겠다고 아빠를 놀렸어.
그런데 어느 날 보니, 내 팔뚝에도 까만 털들이 자라나는 거야.
난 남자도 아니고, 원숭이도 아닌데 왜 자꾸 팔뚝이며
종아리에 털이 나는 거냐고!
"우리 집 샴푸 금세 바닥나겠네!"
이제는 아빠가 내 팔뚝의 털을 보며
놀리시지 뭐야.

인생이
다 그런 거
아니겠어?

털을 없애는 방법

제모 크림을 바르거나, 여성용 면도기로 밀거나 제모 테이프를 붙였다가 털의 뿌리까지 뽑는 방법도 있어. 또 병원에 가서 아예 영원히 나지 않도록 수술하는 방법도 있지. 하지만 부작용이 뒤따를 수 있으므로 신중히 생각해야 해. 그리고 우리는 아직 어리기 때문에 성인이 되어서 하는 게 좋아.

지금은 변신 중

내 입 속에는 '철길'이 나 있어.
진짜 철길과 다른 점이 있다면 '칙칙폭폭' 기차가 다니지 않는다는 거야.
하지만 내 이를 더 예쁘게 만들어 주는 고마운 철길이지.

치아 교정

이가 삐뚤빼뚤하게 났다면 어른이 되기 전에 치아 교정을 하는 게 좋아. 어른이 된 다음 하면 교정을 하는 데 시간도 더 오래 걸리고 더 많이 아프거든. 그리고 비뚤어진 치아를 그대로 두면 얼굴형도 이상하게 틀어질 수 있어. 하지만 무작정 교정을 하면 후회할 수 있으니 잘 생각해야 해.

79 미워지는 방법

놀라운 제품을 소개합니다!

건강을 해치고, 피부도 빨리 늙게 하고, 입에서 풀풀 냄새가 나게 하는

놀라운 효과! 보너스로 치아도 노랗게 만들어 드립니다.

담배는 해로워!

열심히 운동을 하고 좋은 화장품을 써서 피부를 좋게 만들어도
담배를 피우면 아무 소용이 없어.
담배는 피부를 빨리 늙게 만들거든. 그리고 어른이 되어 아기를 낳는
여성들이라면 더더욱 담배는 쳐다보지도 말아야 해. 더군다나 성장기에
담배는 독이 든 사과만큼 나쁘다는 걸 명심해!

썰렁한 아이, 유머 있는 아이

정말 재미있는 이야기를 친구들에게 해 줬어.
나는 이야기를 끝내고 배꼽을 잡고 웃고 있었어.
그런데 뭔가 이상해서 친구들의 얼굴을 보니, 완전 실망한 표정이지 뭐야. 오늘도 난 혼자만 웃고 있었던 거야.

유머 있는 소녀 되기

1. 유머 수첩을 하나 만든다.
2. 재미있는 이야기를 듣게 되면 수첩에 적어 둔다.
3. 수첩을 보며 이야기하는 연습을 한다. (억양 조절, 긴장감을 주기 위한 호흡, 이야기를 더 풍부하게 만드는 동작 등)
4. 준비한 이야기를 적절한 시기에 친구들에게 들려 준다.

이렇게 연습하다 보면 유머 수첩이 없어도 상황에 맞는 재밌는 말들이 생각날 거야.

돌고 도는 돈!

돈은 하늘의 구름과 같아.

구름이 쉴새없이 움직이듯 돈도 끊임없이 움직이거든.

돈은 있다가도 없고, 없다가도 생기는 법이야.

따라서 돈으로 친구를 판단하는 것은 무척 어리석은 행동이지.

그리고 지금 용돈이 넉넉하지 않다고 실망할 필요도 없어.

대신 적은 용돈이라도 절약해서 저축해 봐. 저축한 돈으로 갖고 싶은 것이나

부모님 생일 선물을 사는 기쁨을 누릴 수 있으니까.

82 소녀생활백서

특명, 귀를 보호하라!

우리 나라는
군인아저씨들이 지키고,
우리 집은 용감하고 영특한
진돗개가 지킨다.
그런데 소중한 내 귀는 누가
지키지?

소중한 귀!

우리 귀 속에는 섬모세포라는 것이 있어.
섬모세포는 소리를 뇌에 전달해 주지.
하지만 너무 큰 소리를 오랫동안 듣다 보면 섬모세포가
망가져 버려.
망가진 섬모세포는 다시 자라지 않아.
섬모세포가 다 망가져 버리면 우리는 더 이상
들을 수 없지.
그러니 음악을 들을 때는 적당한 크기로
쉬어 가며 들어야 해.

소녀생활백서 83

예비 숙녀의 환경 지키기

자기만 가꾸는 소녀는 50점!
환경까지 가꾸는 소녀는 100점!

우리가 사는 환경을 지킬 줄 아는
소녀야말로 멋진 숙녀가
될 자격이 있지.
우리가 사는 터전인 땅과 물,
공기가 건강해야 우리도
건강히 살아갈 수 있어.

환경 지키는 방법

1. 일회용품의 사용을 줄인다.
2. 쓰레기는 재활용하고, 분리수거한다.
3. 종이, 물과 같은 자원을 아낀다.
4. 음식물을 남기지 않는다.

안녕하세요!

동생은 엄마 말도 잘 듣고, 청소도 잘하고, 공부도 잘하지.
하지만 어른들은 내가 더 착한 아이인 줄 알아. 왜냐고?
인사만큼은 동생보다 내가 더 잘하거든.

인사하기

동네 어른을 만났을 때, 친구들을 길에서 만났을 때,
학교에서 선생님을 만났을 때,
네가 먼저 큰소리로 인사를 건네 봐!
모두들 반갑게 맞아 줄 거야!

안녕?

웃음이 보약

감기 때문에 병원에 가서 주사를 맞아야 했어. 주사 맞는 거 너무너무 아픈데……. 그런데 간호사 언니가 그러는 거야.

"어떤 환자 엉덩이에 '메롱'이라고 쓰여 있더라! 어찌나 황당하고 기분이 나빴다고!"

나는 그 말이 너무 웃겨서 웃음이 터졌지. 그 사이에 간호사 언니가 내 엉덩이에 주사를 놨어. 놀랍게도 그렇게 아프던 주사가 간호사 언니의 재밌는 이야기로 하나도 아프지 않았어..

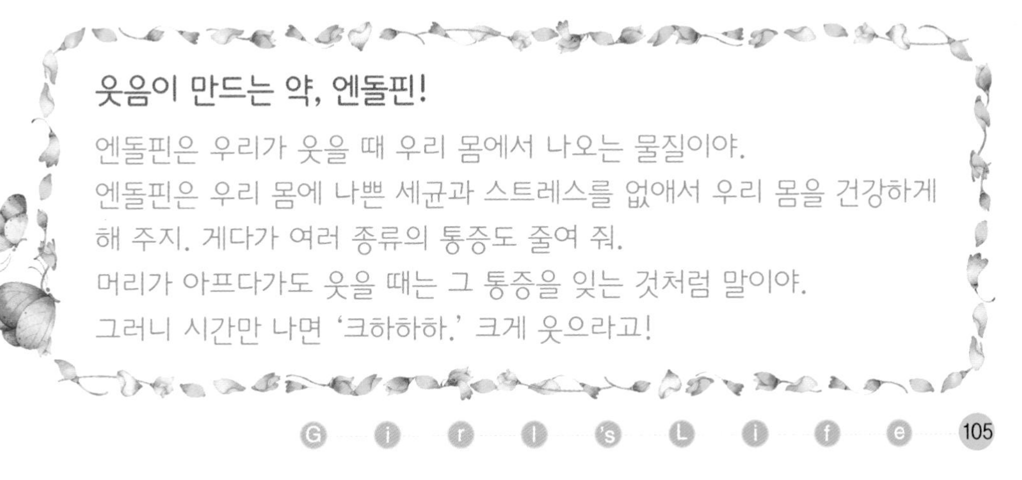

웃음이 만드는 약, 엔돌핀!

엔돌핀은 우리가 웃을 때 우리 몸에서 나오는 물질이야.
엔돌핀은 우리 몸에 나쁜 세균과 스트레스를 없애서 우리 몸을 건강하게 해 주지. 게다가 여러 종류의 통증도 줄여 줘.
머리가 아프다가도 웃을 때는 그 통증을 잊는 것처럼 말이야.
그러니 시간만 나면 '크하하하.' 크게 웃으라고!

86 소녀생활백서

약속을 지키는 아이, 지키지 않는 아이

난 약속을 좋아해. 친구랑 우정이 변치 않기를 약속하고, 엄마랑 공부 열심히 하겠다고 약속하고, 동생한테 좋은 언니가 되겠다고 약속하고…….
그런 어느 날부터 친구들과 가족들이 내 말을 안 믿기 시작했어. 내가 그 동안 약속을 안 지켰다나? 앞으론 내가 아무리 대단한 약속을 해도 못 믿겠대.

너무해. 또 약속을 잊다니.

미안, 깜빡했어.

됐어. 이젠 안 믿어.

Tip

약속과 믿음

사람들은 약속을 안 지키는 사람의 말을 믿지 않아.
그러니 네 말을 믿게 하고 싶다면 사람들과의 작은 약속도 꼭 지키는 습관을 키워야 해.

87 지나치게 정직한 소녀!

우리 집 가훈은 '정직'이야.
그래서 오늘 친구에게 정직하게 이야기해 줬어.
'내가 보기에 넌 정말 못생겼어. 그 작은 실눈으로
세상이 보이기는 하니?' 라고
말이야. 그랬더니
친구가 울면서 가
버리는 거야.
아! 정직한 사람이
되는 건 너무 어려운
것 같아.

으앙~~~

그게
정직이니?

정직의 선물

정직하게 행동하는 사람은 늘 당당해. 하지만 거짓말을 하는 사람은 늘 불안하지. 하지만 때로는 선의의 거짓말을 할 줄도 알아야 해. 정직하게 말해야 한다고 해서 상대방 기분을 생각하지 않고 말을 한다면 거짓말하는 것보다 더 기분 나쁠 수 있거든.

88 소녀생활백서

소녀도 할머니가 된다!

웃어른에게 자리를
양보해야 할 필요가 없다고?
그럼 네가 나이 먹고 힘이
없을 때 너에게 자리를
양보하는 사람도 없을 거야.

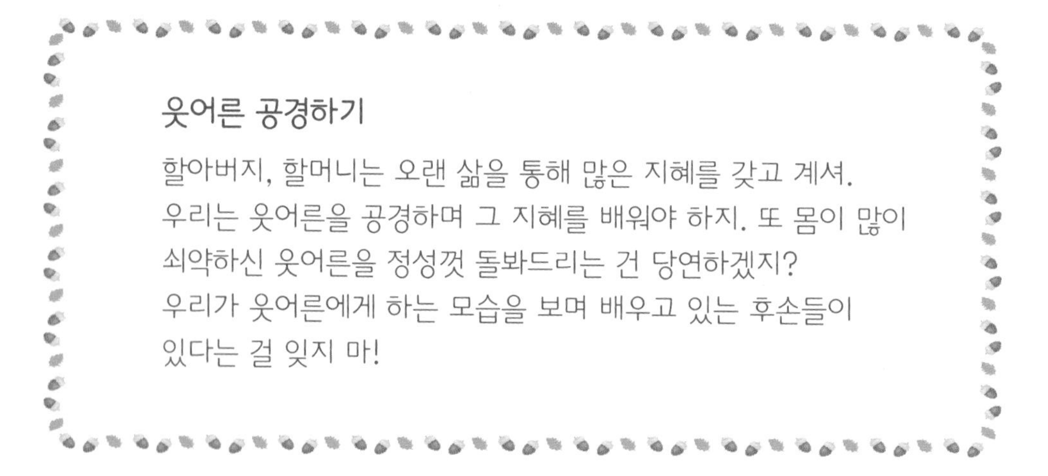

웃어른 공경하기

할아버지, 할머니는 오랜 삶을 통해 많은 지혜를 갖고 계셔. 우리는 웃어른을 공경하며 그 지혜를 배워야 하지. 또 몸이 많이 쇠약하신 웃어른을 정성껏 돌봐드리는 건 당연하겠지? 우리가 웃어른에게 하는 모습을 보며 배우고 있는 후손들이 있다는 걸 잊지 마!

유치원생에게 배울 것

묻는 말에 바르게 대답하는 것은 이미 유치원에서 다 배웠어.
가끔씩 잊고 있었던 친구들이 있다면 유치원 동생들의 모습을 보고 배워 보는 건 어떨까?

Tip

유치원생도 다 아는 것들!

1. 사람들이 묻는 말에 대답을 잘 한다.
2. 친구들과 사이좋게 지낸다.
3. 부모님께 항상 감사한 마음을 갖는다.
4. 가지고 논 장난감은 제자리에 갖다 놓는다.
5. 유치원에 지각하지 않는다.

90 소녀생활백서

마음까지 어여쁜 소녀!

어려운 이웃을 모른 척하는
소녀는 아무리 예쁘게
생겼어도 미워 보여.
그 소녀의 얼굴에는
따뜻한 마음이
묻어나지 않으니까.

함께 사는 세상

어려운 이웃은 우리 주위에 참 많아.
혼자 사시는 할머니, 병원비가 없는 아픈
아이, 몸을 다친 아주머니…….
내가 뭘 도와 줄 수 있을지 생각해 봐.
진심이 담긴 것이라면 작은 정성도
이웃에게는 큰 힘이 될 거야.

아침밥의 힘!

다이어트 좀 해 보려고 아침밥을 굶었어.
그랬더니 기운이 하나도 없고, 친구한테 짜증만 부리고,
게다가 수업 시간에 졸다가 선생님한테 혼났지 뭐야.
하지만 다이어트를 위해 꾹 참았지.
그로부터 일주일 후, 키는
그대로인데 몸무게가
오히려 불었지 뭐야.
아잉~ 난 몰라.

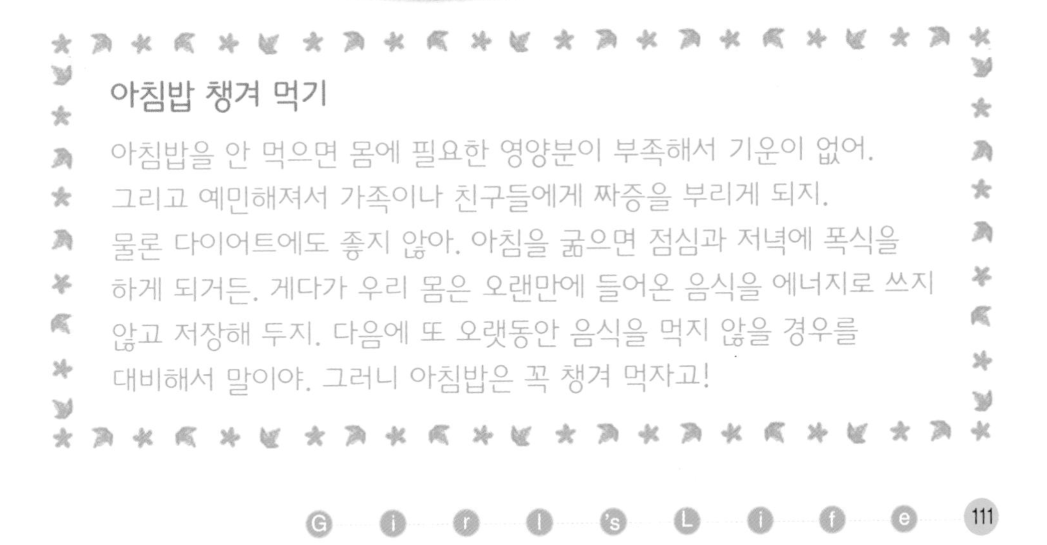

아침밥 챙겨 먹기

아침밥을 안 먹으면 몸에 필요한 영양분이 부족해서 기운이 없어.
그리고 예민해져서 가족이나 친구들에게 짜증을 부리게 되지.
물론 다이어트에도 좋지 않아. 아침을 굶으면 점심과 저녁에 폭식을
하게 되거든. 게다가 우리 몸은 오랜만에 들어온 음식을 에너지로 쓰지
않고 저장해 두지. 다음에 또 오랫동안 음식을 먹지 않을 경우를
대비해서 말이야. 그러니 아침밥은 꼭 챙겨 먹자고!

92 소녀생활백서

탄산음료와의 이별

잘 가라!
입 안 가득 톡톡 터지던 탄산음료야!
이제 난 건강 소녀로 거듭나기 위해 너와 영영 이별을 하려고 한다.
너의 단맛으로 인해 필요 없는 살들이 늘어났고, 카페인으로 인해 난 더 목말라해야 했어!
하지만 너에 대한 원망은 없다. 너의 유혹을 거절하지 못한 내 잘못이 크니까……. 부디 김빠진 콜라가 되지 않도록 몸조심해!

날개 달린 용돈!

한 달치 용돈을 벌써
다 써 버렸어.
아직 일주일밖에
안 지났는데 말이야.
그런데 다음 주가
엄마 생신이지 뭐야.
오늘부터 아빠 구두 열심히
닦아야겠다.

용돈 아껴 쓰기!

용돈을 받으면 하루에 얼마를 쓸 것인지 미리 계획을 세워.
그래야 있는 돈을 한꺼번에 다 써 버리지 않거든.
꼭 필요한 것들만 사고 나머지는 아껴 둬.
나중에 생각지 못하게 돈이 필요할 때가 생길지도 모르니까.
은행에 저금해 놓고 필요할 때 조금씩 빼서 쓰는 것도 용돈을
절약하는 방법이지. 그리고 용돈을 받을 때는 감사한 마음으로!
잘 알고 있지?

94 소녀생활백서

변비, 시원하게 탈출하기!

너무 보고 싶어서 눈물로
애원을 했지만 결국엔 못 봤어.
포기하고 싶은 마음도 있었지만
너무 아파서 그럴 수가 없었지.
어떻게 하면 대변을
시원하게 볼 수 있을까?
변비, 정말 싫어!

변비 탈출하기!

1. 빠르게 걷기, 스트레칭 등 운동을 많이 한다.
2. 물과 야채를 많이 먹는다.
3. 배 마사지를 한다.
   a. 손바닥을 비벼서 따뜻하게 만든다.
   b. 손바닥을 배에 대고 시계방향으로 누르듯이 원을 그리며 마사지한다. 이 때, 큰 원으로 시작해서 점점 작은 원을 그린다.

95

입 냄새 없애는 비결!

너의 하품에
친구들이
쓰러진다고?
그럼 너의
입 냄새를 맡아 봐!
때론 입 냄새가
무기가 되기도
하거든.

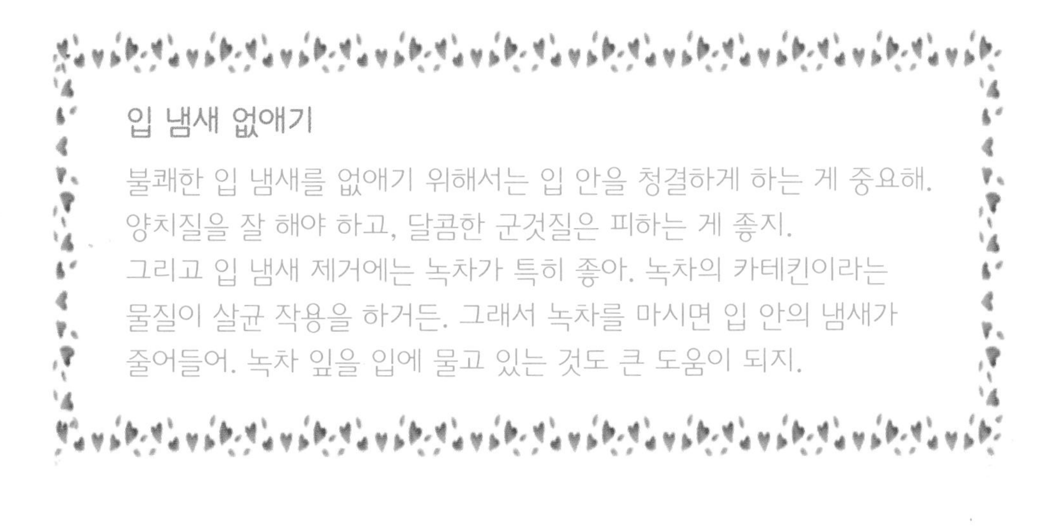

입 냄새 없애기

불쾌한 입 냄새를 없애기 위해서는 입 안을 청결하게 하는 게 중요해. 양치질을 잘 해야 하고, 달콤한 군것질은 피하는 게 좋지.
그리고 입 냄새 제거에는 녹차가 특히 좋아. 녹차의 카테킨이라는 물질이 살균 작용을 하거든. 그래서 녹차를 마시면 입 안의 냄새가 줄어들어. 녹차 잎을 입에 물고 있는 것도 큰 도움이 되지.

96 소녀생활백서

보들보들 촉촉, 우유 목욕

고대 이집트의 아름다운 여왕,
클레오파트라!
그녀는 아름다움을 위해 수많은
노력을 했어.
그 중에 빼먹지 않았던 것이
바로 우유 목욕이지!

우유 목욕

우유는 피부의 불필요한 각질을 제거하고, 피부를 촉촉하게 보호해 주지.
비싼 목욕용품 대신 우유로 얼마든지 훌륭한 피부 관리를 할 수 있어.
물이 담긴 욕조에 우유를 300밀리리터 정도 넣고 몸을 담그면 돼!
편안한 마음으로 목욕을 즐기고 나면 보들보들 우유처럼 고운 피부가 될 거야.

가장 기본적인 건강 습관, 손 씻기!

나는 오늘 열심히 청소를 했어. 찐득찐득 지저분한 코 속, 코딱지 청소!
한참 열심히 코를 파고 있는데 엄마가 양념치킨을 사 오셨지 뭐야.
맛있게 냠냠 먹었지. 손가락에 묻은 달콤한 양념들을 쪽쪽 빨아 가며…….
윽! 그런데 갑자기 생각났어! 난 조금 전까지 코 속을 열심히 청소했다는 사실을 말이야.

손 씻는 습관으로 건강 지키기!

손은 언제나 깨끗이 해야 해. 우리가 많이 사용하는 손에는 세균과 먼지가 많이 있거든. 감기나 눈병 같은 전염병을 예방하기 위해서도 손을 깨끗이 씻는 것은 필수지.
특히 외출하고 돌아왔을 때, 음식을 먹기 전에, 대소변을 본 후에는 꼭 손을 씻어야 해.

98 소녀생활백서

사랑 고백, 누가 먼저 해야 할까?

좋아한다는 고백은 꼭 남자가 먼저 해야 한다고?
그런 생각을 하고 있다면, 아마 좋아하는 상대를 만나기 정말 힘들 거야.
용기 있는 자만이 사랑을 얻는다는 걸 잊지 마!

●지혜롭게 고백하기

누군가를 좋아하는 건 부끄러운 게 아니야. 오히려 아름다운 일이지. 지금부터 지혜롭게 고백하는 비결을 알려 줄게.

1. 우선 그 애도 나에 대해 알 수 있는 시간을 준다.
   -여러 친구들과 함께 어울릴 수 있는 시간을 만들어. 누군지도 모르는 아이가 고백을 한다면 깜짝 놀라겠지?

2. 나만의 모습을 그 애에게 확실히 보여 준다.
   -부끄럽다고 아무 말도 안 하고 있는 사람에게는 누구도 관심갖지 않을 거야.

3. 이제는 그 애에게 당당히 고백해 봐.
   -하지만 내 마음만 중요한 건 아니야. 그 애가 자연스럽게 받아들일 수 있도록 너무 부담을 주지는 마.

4. NO!라는 대답을 들었다고 해도 창피해하지 마.
   그래도 넌 너의 마음을 전한 용감한 소녀니까.

지우개 목욕

기분이 우울한 날엔 지우개를 목욕시켜 봐!
틀린 글씨 지우느라 새까맣게 때가 타 버린 지우개!
지우개를 다시 하얗게 변화시킨다면, 마음도 한결 깨끗해질 거야.

지우개 목욕시키기

예비 숙녀라면 소지품을 깨끗하게 사용할 줄 알아야 해.
특히 소홀하기 쉬운 학용품도 말이야.
아무리 지저분한 지우개라도 금세 하얗게 만드는 방법이 있어.
다른 지우개로 지우개의 더러운 부분을 지우는 거지.
그러면 손쉽게 하얀 지우개로 만들 수 있어.

옷 입는 데도 요령이 필요해!

친구들과 영화를 보러 가기로 했어.
뭔가 특별한 옷이 없을까 찾다가 예쁜
블라우스를 발견했지.
하지만 이 옷은 단추가 등쪽에 쭉 달려 있어서
누군가 도와 줘야 해. 팔을 뒤로 돌려서 단추를
채우는 건 불가능하거든.
하지만 집에는 아무도 없으니 어쩌지?
그래서 그 날 난 블라우스를 거꾸로 입고
나갈 수밖에 없었어.
친구들이 눈치챘을까?

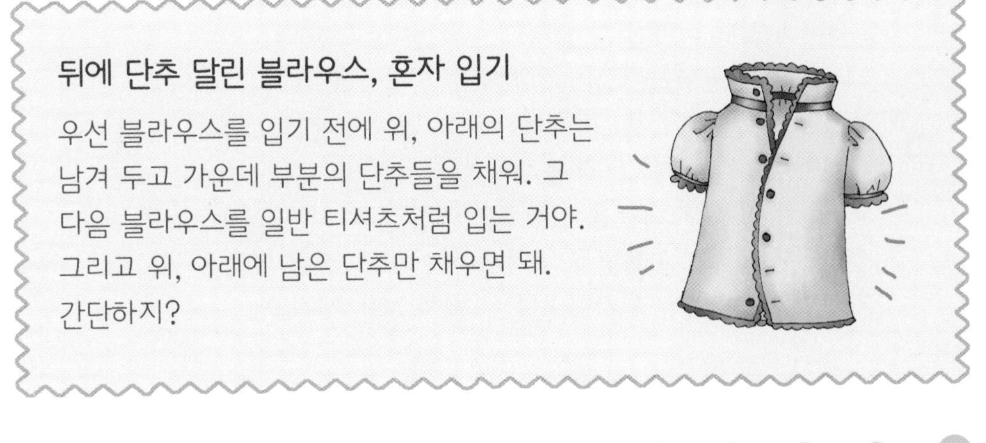

뒤에 단추 달린 블라우스, 혼자 입기

우선 블라우스를 입기 전에 위, 아래의 단추는 남겨 두고 가운데 부분의 단추들을 채워. 그 다음 블라우스를 일반 티셔츠처럼 입는 거야. 그리고 위, 아래에 남은 단추만 채우면 돼. 간단하지?

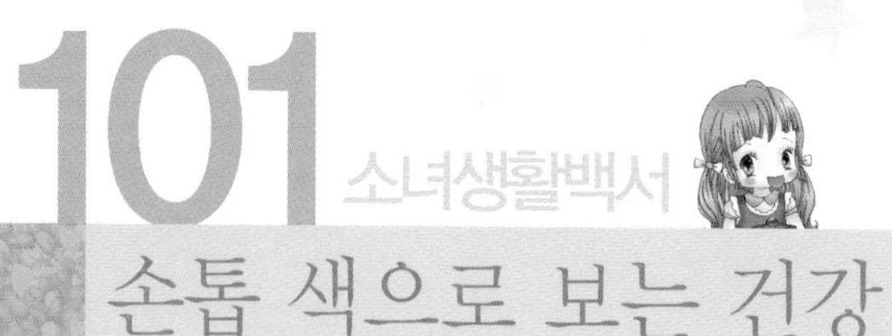

손톱 색으로 보는 건강

손톱이 은은한 연분홍색으로 보이면 건강미인!
핏기가 없이 하얀색이면 빈혈!
노란빛이 보이면 건강이 나빠졌다는 신호야.

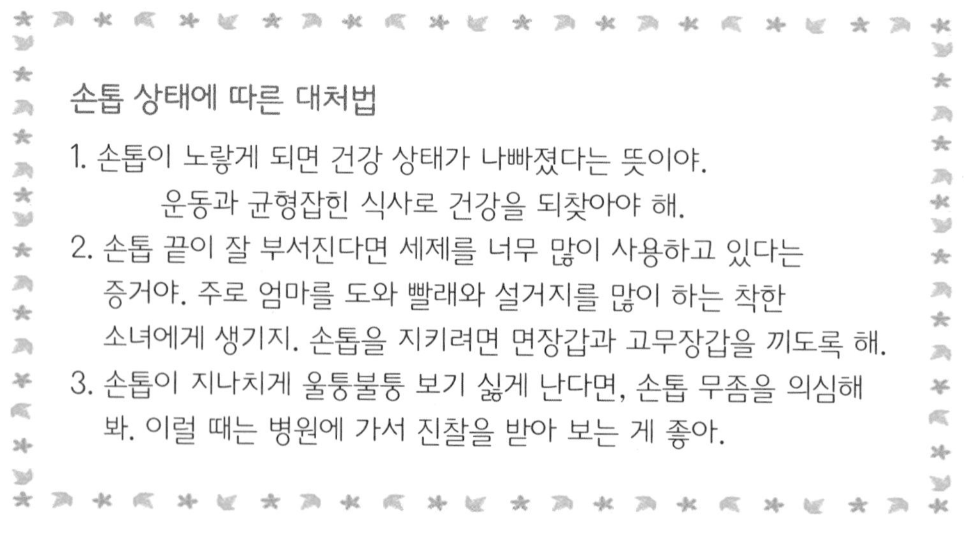

손톱 상태에 따른 대처법

1. 손톱이 노랗게 되면 건강 상태가 나빠졌다는 뜻이야.
   운동과 균형잡힌 식사로 건강을 되찾아야 해.
2. 손톱 끝이 잘 부서진다면 세제를 너무 많이 사용하고 있다는 증거야. 주로 엄마를 도와 빨래와 설거지를 많이 하는 착한 소녀에게 생기지. 손톱을 지키려면 면장갑과 고무장갑을 끼도록 해.
3. 손톱이 지나치게 울퉁불퉁 보기 싫게 난다면, 손톱 무좀을 의심해 봐. 이럴 때는 병원에 가서 진찰을 받아 보는 게 좋아.

프린세스 향기 목욕

울퉁불퉁 귤껍질 같은 피부가 싫다면 귤껍질 목욕을 해 봐!
돈 한 푼 안 들이고 공주처럼 향기로운 목욕을 할 수 있어!
귤을 먹은 다음 귤껍질만 잘 모아 둔다면 말이야.

귤껍질 목욕

1. 평소에 귤껍질을 모아서 햇볕에 잘 말려 둔다.
2. 욕조에 물을 받고 귤껍질을 띄운다.
3. 산뜻한 귤 향기를 맡으며 즐거운 목욕을 한다.

➔ 귤껍질에 있는 성분들이 우리 피부를 부드럽고 촉촉하게 만들어. 향기로운 귤 향기는 마음까지 편안하게 하지. 레몬이나 오렌지 껍질을 이용해도 좋아. 그 밖에도 녹차나 홍차, 우롱차 등 좋아하는 차의 티백을 목욕물에 우려서 사용하는 것도 좋은 방법이야.

103 소녀생활백서

로즈마리 효과

작은 로즈마리 화분을 친구에게 선물 받았어. 별로 예쁘지 않아서 창가에 두고 관심 갖지 않았지. 그런데 은은한 로즈마리 향기가 방 안 가득 퍼지지 뭐야. 나는 매일 향기로운 로즈마리 향기 속에서 상쾌하게 하루를 맞이해.

Tip 로즈마리 활용하기

1. 로즈마리 린스: 로즈마리 잎을 유리병에 담아 식초를 부어 둔다. 한 달 후 헤어린스로 사용한다. 세숫대야에 물을 가득 받고 로즈마리 식초를 두 스푼 넣어 두피까지 충분히 적신다. 그리고 맑은 물로 다시 헹궈 낸다.
2. 로즈마리 화장수: 로즈마리 잎을 백포도주와 함께 끓여서 식힌다. 세안 후 사용하면 촉촉하고 건강한 피부에 도움이 된다.
3. 로즈마리 방향제: 로즈마리 잎을 작은 주머니에 넣어 방에 걸어 둔다. 은은한 로즈마리 향이 세균을 제거해 준다.

조금씩 조금씩!

조금씩 조금씩 바뀌고 있대.
손으로 턱을 괴거나, 혀로 앞니를 밀어 내는 등 나쁜 습관들로 인해
치아가 조금씩 틀어지고 있다지 뭐야.
나의 나쁜 습관들을 버려야겠어.
이대로 가다간 치아가 삐뚤빼뚤 제멋대로 될 테니까.
음식을 한쪽으로만 씹거나, 어금니를 꽉 무는 버릇도
예쁜 치아를 만드는 데 방해가 된대.
그러니까 치아에 무리를 주는 나쁜 습관들은 버리자고!

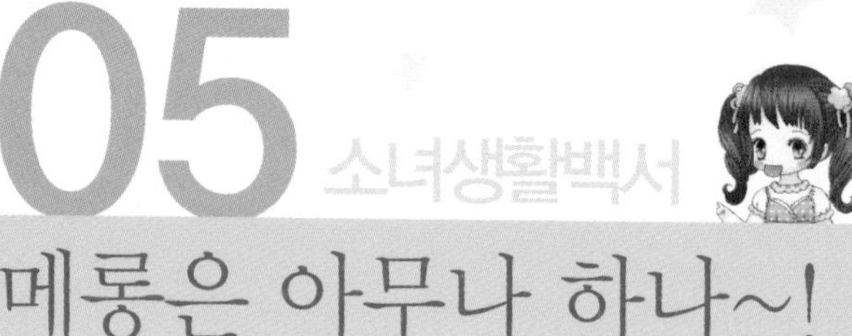

105 소녀생활백서

메롱은 아무나 하나~!

잠깐! 친구에게 '메롱~!' 이라고 놀리기 전에 거울을 보며 '메롱~!' 해 볼 것! 혀에 하얀 설태가 가득 있다면 그건 내 혀에 세균이 우글우글 살고 있다는 증거! 아무 생각 없이 '메롱~!' 했다가 오히려 놀림을 받을 수 있다.

Tip

설태가 뭐지?

설태는 혀에 있는 하얀 이물질을 말해. 혀에 이물질이 붙어서 생겨나는 태는 제거해야 해. 태가 있다는 것은 세균의 활동이 왕성하게 일어나고 있다는 증거야. 설태가 있으면 입 냄새도 심해지지. 그래서 치아를 닦는 것만큼 설태를 제거하는 것도 중요해. 치아를 닦을 때 칫솔로 혀를 닦거나, 거즈로 닦아 내면 돼. 한 번 했다고 끝나는 것이 아니라 칫솔질처럼 자주 해 주는 게 좋아. 깔끔한 숙녀의 혀에 설태는 키우지 말자고!

옷이 만드는 자신감

오늘은 특별한 이유 없이 우울한 날이었어.
내가 못난 아이 같고, 친구들도 만나기 싫고, 집에만 가고 싶은 거야.
축 처진 어깨를 하고 화장실에 갔어. 무심결에 거울을 봤지.
난 그제야 내가 우울한 이유를 알게 됐어.
우중충한 내 옷! 무릎하고 팔꿈치는 툭 튀어나와 있고, 바지에는 잔뜩 주름이 가 있었지. 난 내 옷을 본 순간 쥐구멍으로 숨어 버리고 싶었어.

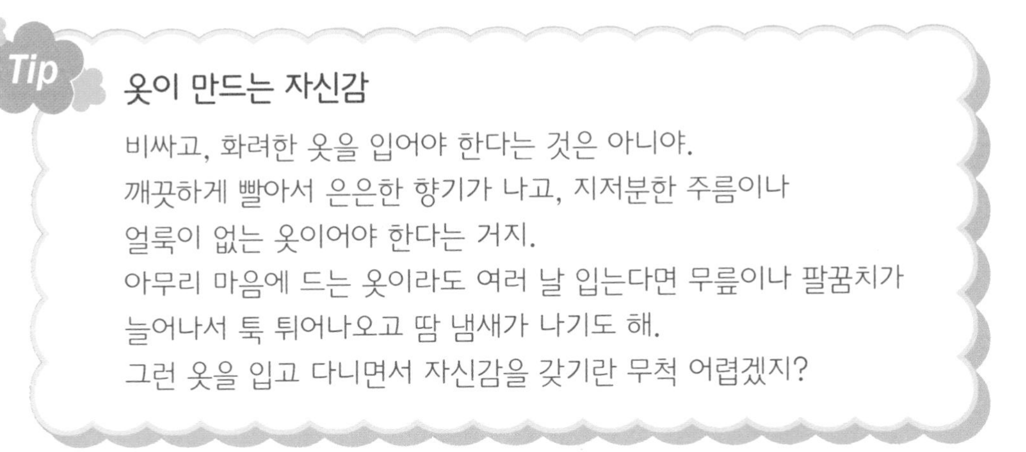

Tip

옷이 만드는 자신감

비싸고, 화려한 옷을 입어야 한다는 것은 아니야.
깨끗하게 빨아서 은은한 향기가 나고, 지저분한 주름이나 얼룩이 없는 옷이어야 한다는 거지.
아무리 마음에 드는 옷이라도 여러 날 입는다면 무릎이나 팔꿈치가 늘어나서 툭 튀어나오고 땀 냄새가 나기도 해.
그런 옷을 입고 다니면서 자신감을 갖기란 무척 어렵겠지?

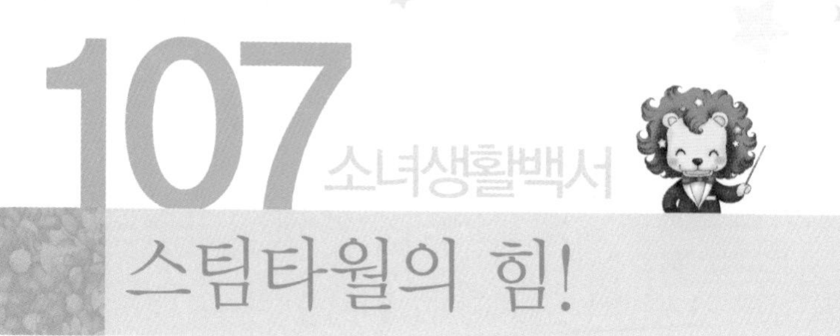

107 소녀생활백서

스팀타월의 힘!

피부를 말끔히 청소하고 싶다고?
그렇다면 수건 한 장을 준비해.
수건에 물을 적셔서 전자레인지에 데우면
준비 끝! 너무 뜨거우면 좀 식혀서 따끈따끈
기분 좋은 온도로 만들어. 그리고
코를 제외한 얼굴에 수건을 덮어 줘.
모공이 열려서 노폐물을 깨끗이
빼낼 수 있어.
스팀타월을 사용한 후에 마사지나 팩을 하면 효과가 훨씬 더 좋지.

*너무 뜨겁게 하면 화상을
입을 수 있으니 주의해야 해.

많이 먹어도 날씬한 아이

난 물만 먹어도 살이 찌는 체질이야.
내 친구는 많이 먹어도 살이 안 찌는 체질이고.
난 친구의 비밀을 파헤치기 위해 친구를 따라다녔지.
한 달만에 난 많이 먹어도 살이 찌지 않는 친구의 비밀을 알아 냈어.
이 비밀만 안다면 누구나 많이 먹어도 살 안 찌는 체질이 될 수 있어.
비밀은 바로, '많이 먹고, 더 많이 움직이기!'
가만히 앉아서 살이 빠지기를 바라는 건 감나무 밑에 누워서
감이 떨어지기를 기다리는 것과 똑같아.

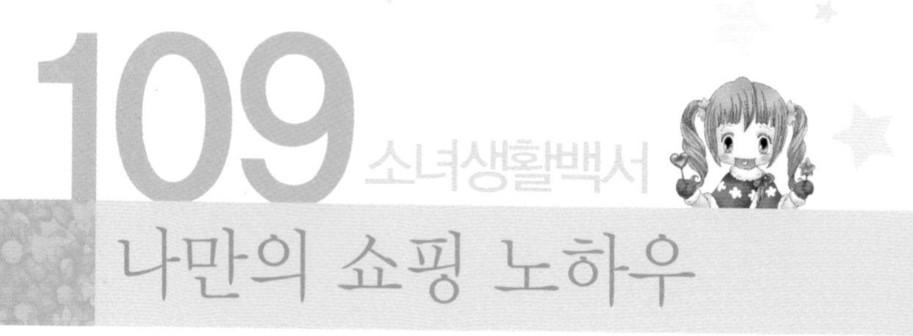

나만의 쇼핑 노하우

쇼핑하러 갈 때도 신경 써서 입고 가야 해. 힙합 스타일의 옷을 사려면 힙합 스타일로, 귀여운 스타일의 옷을 사려면 귀여운 스타일로 말이야. 그래야 내가 가진 다른 옷들과 잘 어울리는지 알 수 있거든.

미용실에 갈 때도 차려입기

미용실에 갈 때도 내가 좋아하는 스타일의 옷을 입고 가는 게 좋아. 그래야 내 취향에 걸맞는 헤어스타일을 만들어 줄 테니까.

쇼핑, 밥 먹고 합시다!

엄마가 옷 사 준다는 말에 신이 나서 밥도 안 먹고 쇼핑을 하러 갔어. 그런데 조금 돌아다니다 보니 배가 고파서 옷이 눈에 안 들어오는 거야. 그래서 대충 아무거나 사고 집으로 돌아왔지 뭐야. 내가 사고 싶은 디자인은 따로 있었는데. 으앙~ 난 몰라.

쇼핑도 식후경

배가 고프면 판단력이 흐려지고 마음만 급해져서
짜증이 나기 쉬워.
그러니까 불필요한 것, 마음에 안 드는 것을 사고 싶지 않다면
쇼핑을 하기 전에 꼭 배부터 채워야 해.
느긋한 마음으로 꼼꼼히 둘러봐야 마음에 드는 것도 잘 보이겠지.

111 신발 쇼핑에도 때가 있다

왕자님은 신데렐라를 찾기 위해 유리 구두를 들고 돌아다녔어요.
왕자님은 늦은 밤이 돼서야 신데렐라를 만났지요.
신데렐라는 왕자님이 들고 온 유리 구두에 발을 넣었어요.
그런데 신데렐라의 발이 안 들어가지 뭐예요!
신데렐라는 밤이 되면 발이 심하게 부었거든요.

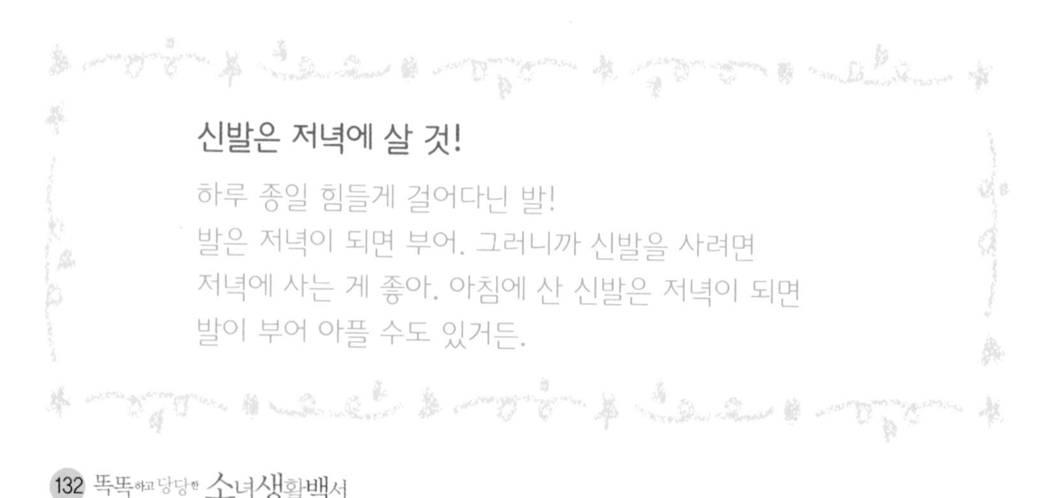

신발은 저녁에 살 것!

하루 종일 힘들게 걸어다닌 발!
발은 저녁이 되면 부어. 그러니까 신발을 사려면 저녁에 사는 게 좋아. 아침에 산 신발은 저녁이 되면 발이 부어 아플 수도 있거든.

비오는 날의 센스!

비가 내리는 우중충한 날씨!
덩달아 마음까지 우중충해진다면
그건 지혜로운 예비 숙녀가 아니지.
옷과 잘 어울리는 우산을
들고 나간다면 기분만은 화창한
좋은 날이 될 수도 있어!

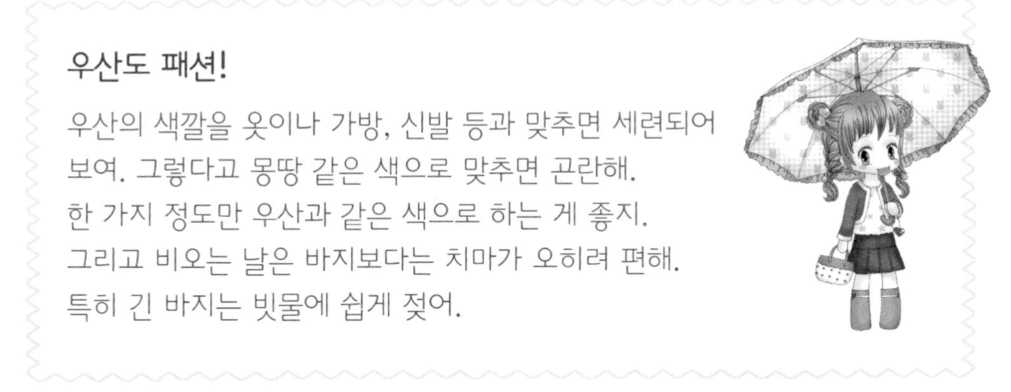

우산도 패션!

우산의 색깔을 옷이나 가방, 신발 등과 맞추면 세련되어 보여. 그렇다고 몽땅 같은 색으로 맞추면 곤란해. 한 가지 정도만 우산과 같은 색으로 하는 게 좋지. 그리고 비오는 날은 바지보다는 치마가 오히려 편해. 특히 긴 바지는 빗물에 쉽게 젖어.

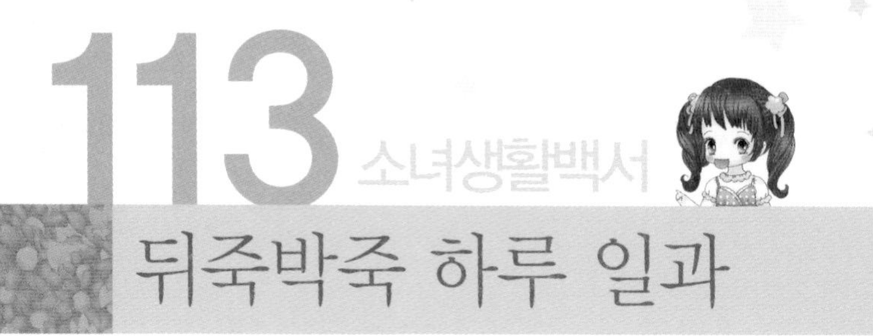

113 소녀생활백서

뒤죽박죽 하루 일과

이번 주까지 수학 문제집 한 권을 풀기로 엄마와 약속했어.
그리고 내일까지 내야 하는 학교 숙제가 있고,
내일 친구 생일 파티에 가져갈 선물도 준비해야 해.
또, 엄마가 동생을 유치원에서 데려오라고 하셨어.
그런데 수학 문제집을 조금 풀다가 문득 시계를 봤더니 동생 데리고 올 시간이 됐지 뭐야. 동생을 데리고 와서 텔레비전을 틀었는데 재미있는 프로그램이 나오잖아. 나도 모르게 그냥 앉아서 텔레비전을 봤어. 그러다가 깜빡 잠이 들었지. 눈을 떠 보니 아침이었어. 으악~ 나 어떡해!

Tip

하루를 계획하기

1. 하루의 계획을 잊지 않도록 메모지에 적어서 가지고 다닌다.
2. 가장 빨리 해야 하는 일, 더 중요한 일부터 한다.
3. 두 가지 일을 동시에 해서 시간을 줄일 수 있는지 생각해 본다.
4. 당장 필요한 일은 아니더라도 나를 위한 좋은 일을 계획한다.
5. 매일 자기 전에 계획대로 하루를 보냈는지 확인한다.

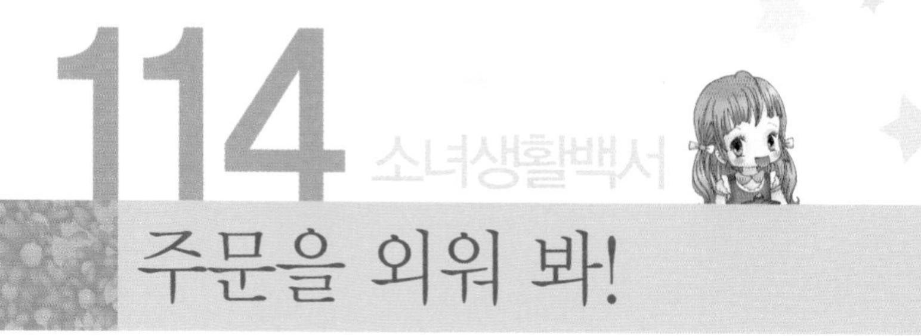

주문을 외워 봐!

주문을 외워 봐!
네가 되고 싶은 것, 꼭 하고 싶은 일 등 네가 원하는 것을 말하면 돼.
예를 들어 '난 아름다운 숙녀가 될 거야!' 라고 긍정적으로 자꾸 말하면 자기도 모르는 사이에 그렇게 되거든. 그러니까 '난 바보인가 봐!' 라고 부정적으로 말하면 안 되겠지?

뿡! 당황스러운 방귀!

지독한 방귀 냄새가 감도는 교실!
보통 '누가 방귀 꼈어?'라고 제일 먼저 짜증내는 아이가 범인이다.
방귀 냄새가 나더라도 모르는 척할 것!
잘못하면 범인으로 오해받을 수도 있다.

Tip

방귀에 대한 상식

1. 달걀, 고기와 같이 단백질이 많이 포함된 음식을 먹으면 방귀 냄새가 지독해진다.
2. 엉덩이를 살짝 들어서 가스가 나갈 길을 만들어 주면 방귀 소리를 줄일 수 있다.
3. 방귀 속에는 음식이 소화되면서 생겨난 해로운 가스도 포함되어 있다. 그래서 배출하지 않으면 몸 속에 스며들게 되므로, 될 수 있는 한 방귀를 참지 않는 것이 좋다.

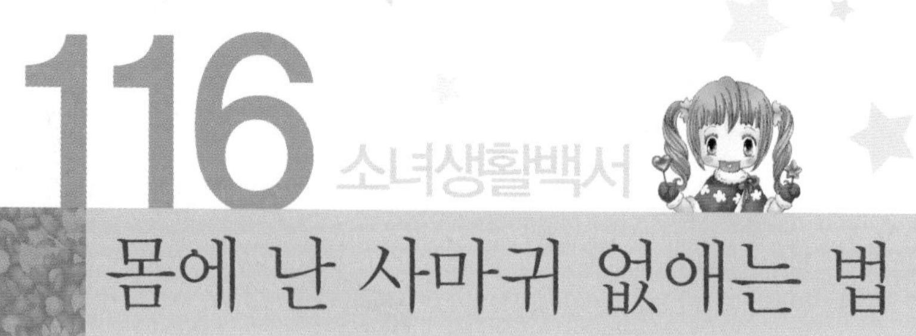

몸에 난 사마귀 없애는 법

고운 *내 손에 사마귀가 났어.*
친구들이 잠자리에게 사마귀를
먹게 하면 없어진다고 하길래
당장 잠자리를 잡아서
사마귀를 먹으라고 했지.
그런데 3시간이 지나도록
잠자리는 내 사마귀의
맛도 안 보더라고.
하긴… 나라도 사마귀를
먹고 싶지 않을 거야.

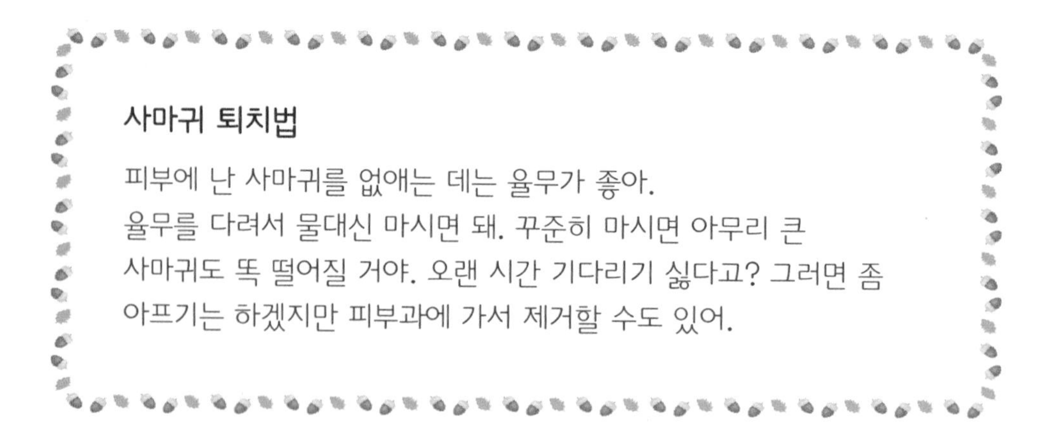

사마귀 퇴치법

피부에 난 사마귀를 없애는 데는 율무가 좋아.
율무를 다려서 물대신 마시면 돼. 꾸준히 마시면 아무리 큰
사마귀도 똑 떨어질 거야. 오랜 시간 기다리기 싫다고? 그러면 좀
아프기는 하겠지만 피부과에 가서 제거할 수도 있어.

왜 입을 옷이 없지?

엄마한테 입을 옷이 없다고 사달라고 했어. 그랬더니 장롱 가득 들어 있는 것은 옷이 아니고 뭐냐고 하시더라. 이상하지? 옷이 많기는 한데 막상 입으려고 하면 마땅한 것이 없어.

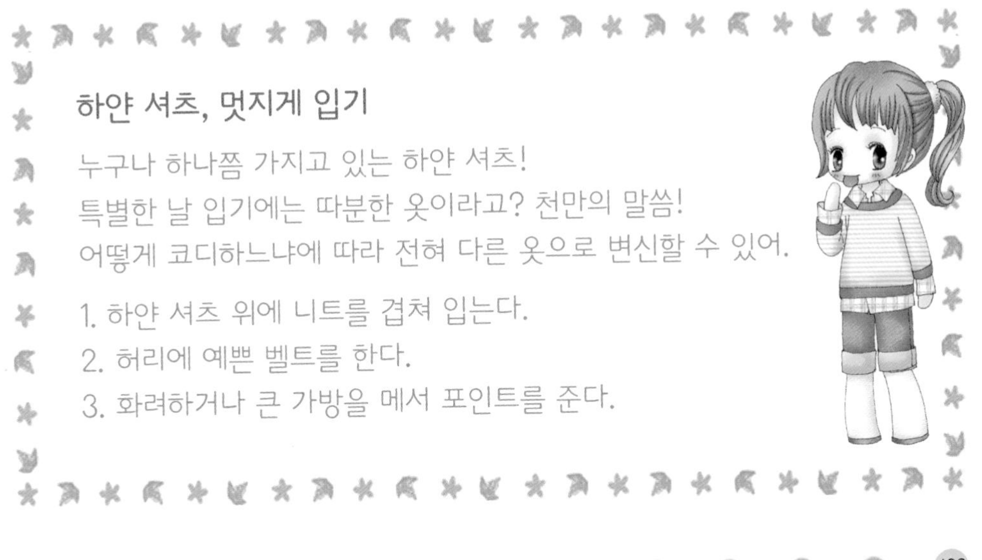

하얀 셔츠, 멋지게 입기

누구나 하나쯤 가지고 있는 하얀 셔츠!
특별한 날 입기에는 따분한 옷이라고? 천만의 말씀!
어떻게 코디하느냐에 따라 전혀 다른 옷으로 변신할 수 있어.

1. 하얀 셔츠 위에 니트를 겹쳐 입는다.
2. 허리에 예쁜 벨트를 한다.
3. 화려하거나 큰 가방을 메서 포인트를 준다.

118 소녀생활백서

그림의 떡

너와 나의 만남은 잘못된 것이었어.
아무리 네가 예뻐 보여도 그냥 그림의 떡으로 놔뒀어야 했어.
나의 굵은 팔뚝으로 민소매 원피스를 입는다는 건 정말 무리였나 봐.
난 너를 입고 나가서 '예쁘다'라는 말 대신 '네 팔뚝 굵다!'라는 놀림을 들어야 했어.

Tip

체형에 맞는 원피스 고르기

1. 팔뚝이 굵은 사람은 소매가 있는 원피스를 입는 게 좋아. 아니면 민소매 원피스 위에 재킷이나 니트를 걸치면 돼.
2. 마른 사람은 주름이 풍성하게 잡힌 원피스를 입는 게 예뻐.
3. 뚱뚱한 사람은 몸에 달라붙는 스타일보다는 넉넉한 스타일에 세로 줄무늬 원피스가 날씬해 보여.

119

스카프가 무슨 죄야?

주인님!

나도 얼마든지 멋진 스카프가 될 수 있어요.

다른 스카프들은 소녀들의 목에, 허리에, 가방에 매달려서

아름답게 하늘거리며 자태를 뽐내고 있어요.

그런데 저는 이게 뭐예요!

매일 음식 냄새 폴폴 나는

도시락을 감싸고 다녀야

하잖아요.

나도 아름다운 스카프가

되고 싶다고요!

다양한 스카프 연출법

1. 앙증맞은 쁘띠 스카프를 목에 매면 훨씬 발랄하고 귀여워 보인다.
2. 긴 스카프를 벨트대신 허리에 매면 화사해 보인다.
3. 오래 사용해서 질린 가방에 스카프를 매면 새로운 느낌이 난다.
4. 머리에 두건처럼 둘러도 멋스러워 보인다.

120 소녀생활백서

예뻐지는 비결

공원에 가족끼리 놀러갔어.
동생하고 나는 자전거를 타고 놀고 있었지.
아빠는 우리들의 모습을 사진기에 담으셨어.
며칠이 지난 후, 아빠는 사진을 뽑아 오셨어.
그런데 두 장의 내 사진이 너무
달라 보이는 거야.
하나는 동생에게 화내는 모습!
하나는 동생을 포근하게
돌봐 주는 모습!
난 이 두 장의 사진을 보며
예뻐지는 비결이 뭔지 알게 됐지.

Tip

마음이 예뻐야 진짜 미인!

미워하는 마음 없애기, 나에게 잘못한 사람 용서하기, 나보다 다른 사람을 먼저 배려하기, 거울 보며 예쁘게 웃는 연습하기, 그리고 아침마다 예쁜 마음을 갖도록 다짐하기!

친해지고 싶은 첫인상

우리 집이 멀리 이사를 했어.
그래서 전학을 가게 됐지.
난 새 학교의 친구들 앞에서
인사를 했어.
첫인상이 중요하다고 해서
좋은 인상을 주려고 했는데
말을 더듬으며 땀만 삐질삐질
흘렸어.
나의 첫인상이 친구들 눈에
어떻게 보였을지 뻔해.
으앙! 예전 학교로 돌아가고 싶어!

친구들에게 좋은 첫인상을 주려면?

1. 어떻게 인사하면 좋을지 미리 머리 속으로 연습한다.
2. 자신감을 갖고 당당하게 말한다.
3. 상대방의 기분을 배려하며 말한다.
4. 상대방에 대한 정보를 미리 알아 둔다.
5. 유쾌한 표정으로 상대방의 눈을 똑바로 본다.

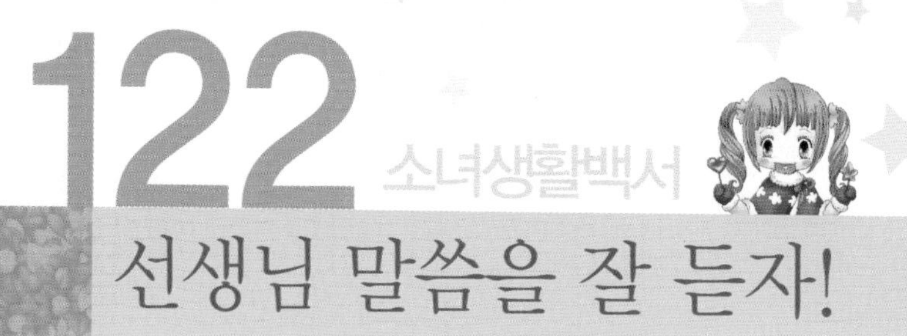

선생님 말씀을 잘 듣자!

오늘은 드디어 소풍 가는 날!
맛있는 도시락도 싸고, 간식도 챙겼지.
근데 선생님이 옷을 어떻게 입고 오라고 말한 것 같은데 생각이 안 나는 거야.
선생님이 말씀하시는 동안 친구랑 떠들었거든.
편안한 옷을 입으라고 하신 것 같긴 한데. 아하! 평소 '편안한 체육복'이라고 말씀하셨으니까, 체육복을 입으면 되겠지?
난 체육복을 입고 나섰어. 뭔가 좀 이상하기는 했지. 역시나! 학교에 가 보니 체육복을 입은 건 나 혼자뿐이었어.
이럴 줄 알았으면 선생님 말씀 제대로 들을걸…….
으아! 오늘은 절대로 사진 안 찍을 거야!

사진 같이 찍자.
싫어! 안 찍을 거야.

선생님이 말씀하실 땐 이야기하고 싶어도 꼭 참아 줘. 특히 중요한 행사(소풍, 체육대회 등)나 시험을 앞두고는 더욱 잘 들어야 해. 꼭 필요한 준비물이나, 시험에 잘 나오는 예상 문제를 콕 짚어 주시니까.

옥구슬 굴러가는 소리 Vs 자갈 굴러가는 소리

음악 시간에 노래를 불렀어.
"우리들 마음에 빛이
있다면~"
그런데 내 주위에 있는
친구들이 웃고 난리가 났어.
그러자 선생님도 웃으시며
말씀하셨어.
"합창인데 너 혼자
그렇게 튀면 어떡하니?"
난 우리 반에서 유명한 음치야. 또 내 목소리는 자갈 굴러가는 소리 같대.
나도 옥구슬 굴러가는 고운 소리를 내고 싶다고!

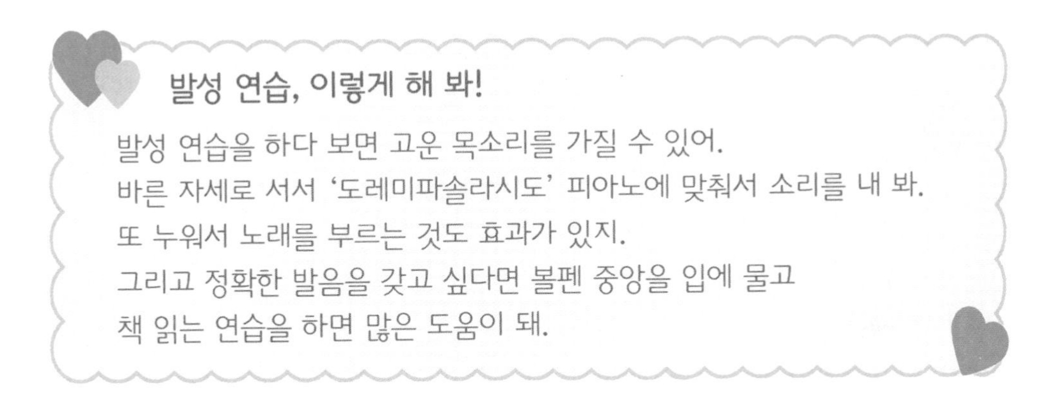

발성 연습, 이렇게 해 봐!

발성 연습을 하다 보면 고운 목소리를 가질 수 있어.
바른 자세로 서서 '도레미파솔라시도' 피아노에 맞춰서 소리를 내 봐.
또 누워서 노래를 부르는 것도 효과가 있지.
그리고 정확한 발음을 갖고 싶다면 볼펜 중앙을 입에 물고
책 읽는 연습을 하면 많은 도움이 돼.

124 소녀생활백서

바르게 걷는 연습

앞에 걸어가는 언니는 뒷모습이 참 예뻐.
그 언니한테서는 '또각또각' 예쁘고 바르게 걷는 소리가 나지.
그런데 나한테서는
'건들건들' 불량스럽고
힘 없이 걷는 소리가
나는 것만 같아.
모델처럼 몸을 쭉 펴고
걷는 게 멋지다는 건 알아.
하지만 내 몸은 오징어처럼
흐물흐물 거려.

건들
건들
흐느적…
흐느적…
내가 젊어서 저렇게 걸었기 때문에 등이 굽은 거란다.
넌 등을 펴고 똑바로 걸어야 한다.
네.

바르게 걸어 봐!

등을 벽에 대고 똑바로 서 봐. 어깨는 편하게 내리고, 다리는 가지런하게 모으고, 머리는 벽에 살짝 붙이면 그게 바로 올바른 자세야. 걸음을 걸을 때도 그 자세를 유지하며 걸어야 해. 그리고 양쪽 무릎이 살짝 스치듯이 걸어야 걸음걸이가 예뻐. 팔은 자연스럽게 흔들어 주는 게 좋지.

한 마리의 백조

"지연이는 앉아 있는 모습이 우아한 학 같아."

친구들이 지연이를 보며 말했어.

문득 나의 모습은 어떤지 궁금해서

물어 봤더니 난 한 마리

닭 같다지 뭐야.

매일 꾸벅꾸벅 존다고…….

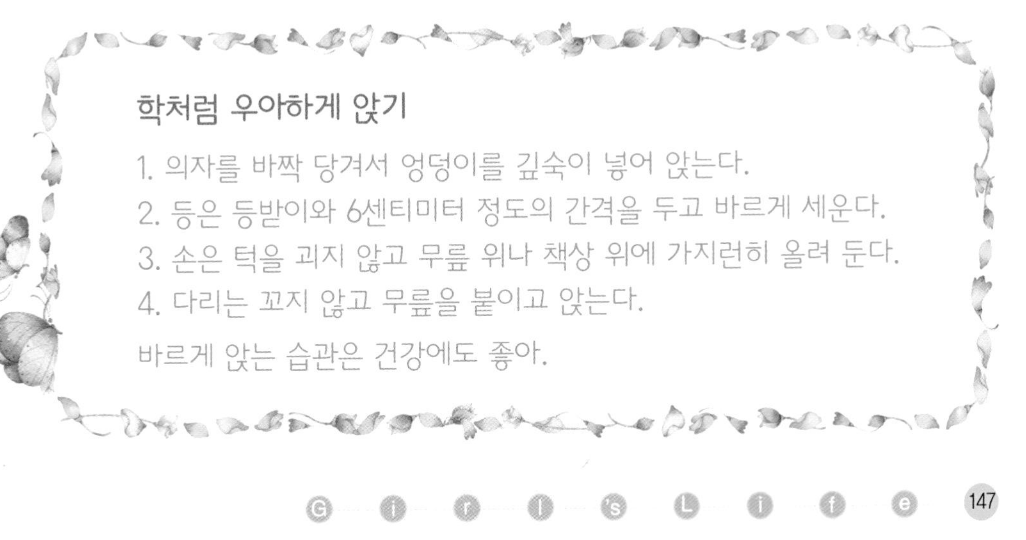

학처럼 우아하게 앉기

1. 의자를 바짝 당겨서 엉덩이를 깊숙이 넣어 앉는다.
2. 등은 등받이와 6센티미터 정도의 간격을 두고 바르게 세운다.
3. 손은 턱을 괴지 않고 무릎 위나 책상 위에 가지런히 올려 둔다.
4. 다리는 꼬지 않고 무릎을 붙이고 앉는다.

바르게 앉는 습관은 건강에도 좋아.

동작 그만!

신발을 꺾어 신고 질질 끌고 다니는 행위!
고개를 한쪽으로 기울이고 삐딱하게 서 있는 행위!
지하철에서 짧은 치마를 입고 다리를 벌리고 앉는 행위!
거의 눕듯이 엉성하게 의자에 앉아 있는 행위!
턱을 괴거나 아무 데서나 코를 파는 행위!
이런 행위를 하고 있다면 동작 그만~!
아름다운 예비 숙녀에게는 절대로 안 어울려.

127

리본하나 달았을 뿐인데…

구두에 리본하나 달았을 뿐인데
친구들이 예쁘다고 난리가 났어.
크! 다음에는 머리띠에
리본을 달아 볼까?

예쁜 리본을 구두나, 머리띠, 머리핀, 옷에 달면 훨씬 여성스러워 보여. 천에 리본을 달 때는 바느질을 하는 게 좋고, 플라스틱이나 신발에 달 때는 글루건으로 붙이는 게 좋아.
글루건을 사용할 때는 어른의 도움을 받는 게 안전하지.

리본 만들기

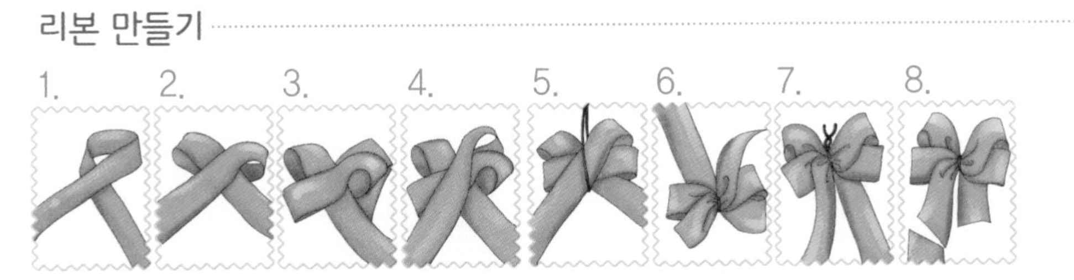

1. 긴 끈을 준비해서 왼쪽 끝을 조금 남기고 둥근 고리를 만든다.
2. 고리 중앙을 겹치게 해서 리본 모양을 만든다.
3. 긴 끈으로 고리를 하나 더 만든다.
4. 그 끈을 돌려 고리를 하나 더 만든다.
5. 리본의 중앙을 철사로 묶는다. 6. 리본의 끝을 잘라 내서 마무리한다.
7. 철사 끝을 깔끔하게 다듬는다. 8. 모양을 매만지면 끝!

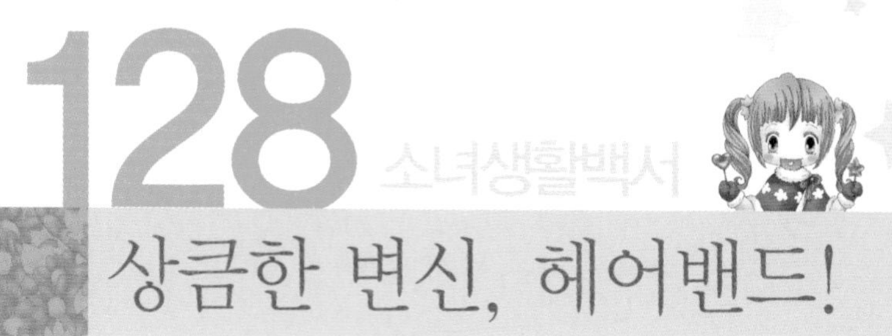

상큼한 변신, 헤어밴드!

왜 하필 내 피가 필요했던 거야?
왜! 왜! 왜!
나의 고운 피부를 뚫고 녀석이
내 피를 가져갔다.
드라큘라보다도 더 잔인한 모기!
하필이면 내 눈두덩을 물게 뭐야.
내 한 쪽 눈은 퉁퉁 부었어.
이대로 학교에 갈 수 없어.
남자애들이 하루 종일 놀릴 거야.
으아앙~!

헤어밴드 효과

얼굴이 푸석푸석하고, 뾰루지가 난데다 모기한테까지 물렸다고? 그럼 선명한 색의 굵은 헤어밴드를 써 봐. 사람들의 시선이 헤어밴드로 가기 때문에 얼굴에 생긴 결점에 대한 관심을 줄일 수 있어.

청바지의 천 가지 얼굴

엄마가 청바지를 사 왔어. 너무너무 기뻤지.

그 청바지를 입어 보기 전까지는 말이야.

하지만 청바지를 입는 순간 난 한숨이 길게 나왔어.

배까지 올라오는 일명 '배바지'였거든.

엄마는 배가 따뜻해야 한다며

예쁘다고 하셨지만, 난 아무 말 없이

청바지를 벗었어.

"엄마! 건강도 중요하지만 스타일도

중요하다고요!"

Tip

청바지 예쁘게 입는 법

1. 요즘은 밑위길이가 짧은 것이 유행이야. 배바지는 절대 NO!
2. 낡아 보이는 청바지도 멋스럽지. 가운데 부분에 물을 뺀 바지는 무척 날씬해 보여.
3. 청바지에는 두건이나 굵은 벨트 같은 소품이 잘 어울려.
4. 청바지의 주머니는 위치에 따라 다리를 길어 보이고 날씬하게 보이게 하지.
5. 청바지 끝단을 접어 입으면 발랄해 보여.

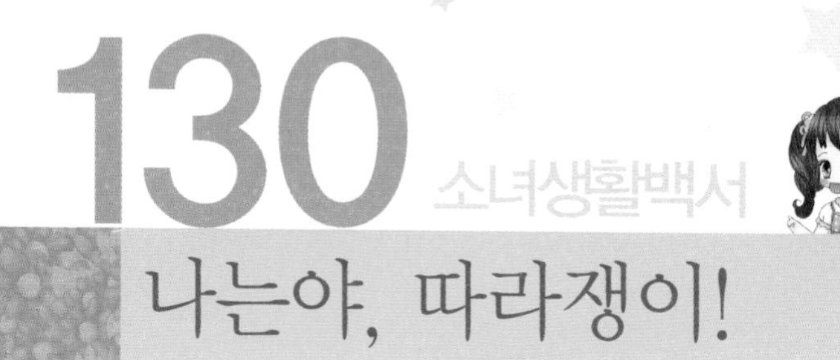

나는야, 따라쟁이!

오늘 텔레비전에서 외국 영화를 봤어.
거기 나오는 여자 주인공이 너무 예쁜 거야.
난 그 여자 주인공처럼 앞머리를 내려서 싹둑 잘랐지.
그렇게 하면 나도 여자 주인공처럼 예쁠 줄 알았어.
하지만 난 코미디 프로그램에 나오는 주인공이 되고 말았어.

●얼굴형에 따른 헤어스타일

1. 네모난 얼굴: 잘못하면 인상이 강해 보일 수 있어. 네모난 얼굴에는 긴 웨이브 스타일이 좋아. 앞머리를 살짝 내리는 것도 귀여워 보이지.

2. 둥근 얼굴: 둥근 얼굴은 자칫 볼이 통통해 보여. 머리 윗부분을 살려서 시선을 분산시키는 게 좋아. 하지만 귀 양옆의 머리를 풍성하게 하는 것은 얼굴을 더 커 보이게 해. 또, 앞머리를 많이 내리는 것도 얼굴을 더 펑퍼짐해 보이게 하지.

3. 역삼각형 얼굴: 역삼각형은 얼굴이 길어 보이고, 날카로워 보여. 앞머리를 내려서 긴 얼굴을 가리고, 옆머리는 층을 내서 길게 늘어뜨리는 것이 부드러워 보여.

4. 긴 얼굴: 긴 얼굴은 긴 머리 모양보다는 짧은 머리가 더 잘 어울려. 웨이브가 있는 풍성한 머리는 긴 얼굴의 결점을 잘 커버해 주지.

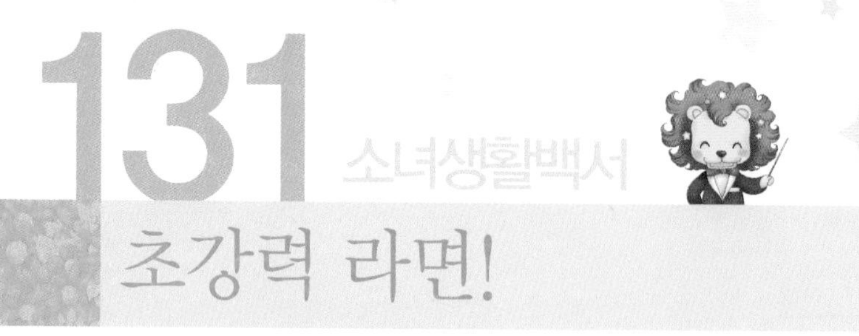

초강력 라면!

아침에 일어나 보니 내 얼굴이 풍선처럼 부풀어 있었어.
바람이라도 불면 하늘로 날아가 버릴 지경이었지.
어젯밤, 잠자기 전에 라면 하나 먹었을 뿐인데…….
잠자기 전에 음식을 먹으면 자는 동안에도 몸이 쉴 수가 없다나?
그래서 몸이 무리를 하게 돼서 건강과 피부에 좋지 않대.
내 몸아, 미안해!
다음부터 잠자기 3시간 전에는 아무것도 안 먹을게.

내 스타일은 내가 만든다!

남자아이들이 제일 좋아하는 헤어스타일 1위는 바로
긴 생머리야. 긴 생머리는 여성스러움의 대명사니까.
그런데 여자들이 제일 좋아하는 헤어스타일 1위도
긴 생머리지. 남자아이들과 이유는 좀 달라.
단발머리보다 오히려 관리하기 편하기 때문이야.
하지만 난 짧은 파마머리가 좋아.
남자아이들이 좋아하는 스타일보다는
내 개성이 중요하다고 생각하니까.
지금 너는 어떤 스타일이니?

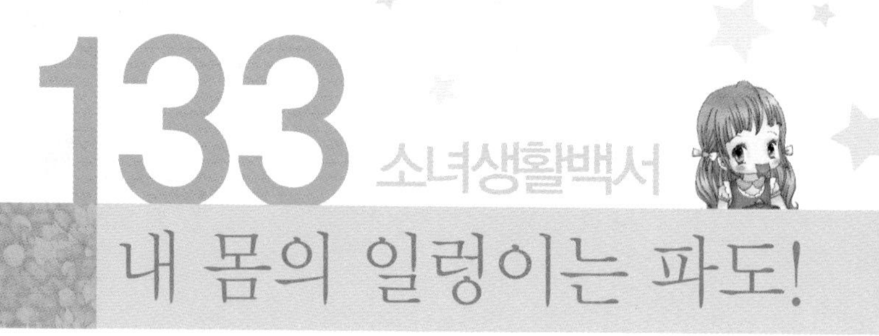

내 몸의 일렁이는 파도!

장난꾸러기 친구들이 다가와 나에게 말했다.

"야! 갑자기 파도가 보고 싶다! 파도 보여 줘!"

난 주먹으로 책상을 치며 소리 질렀다.

"내가 무슨 바다야?"

그 순간 내 팔뚝에 있던 살들이 마구 흔들려 마치 드넓은 바다의 파도가 출렁이는 것처럼 보였다. 그 순간 아이들은 소리쳤다.

"와! 파도다!"

●팔뚝의 군살 없애기

1. 기도하듯이 손을 모으고, 팔꿈치도 붙인다. 손끝을 위에서 끌어당긴다는 기분으로 위로 쭉 올린다.

2. 아령을 들어 팔이 땅과 수평이 되게 한 후, 접었다 편다.

3. 엄지손가락이 위로 향하게 양손을 뒤로 깍지 낀다. 팔을 최대한 위로 들어올린다.

화장품, 미워!

어쩜 나한테 그럴 수 있어?
난 널 위해 열심히 모아 온
용돈도 탈탈 털었어.
그런데 날 이렇게 아프게 하다니!
정말 용서가 안 돼!
내 동생 피부는 저렇게 촉촉하게
해 주면서 내 얼굴에는 왜 이런
트러블이 생기게 하는 거야.
새로 산 화장품! 너, 미워!

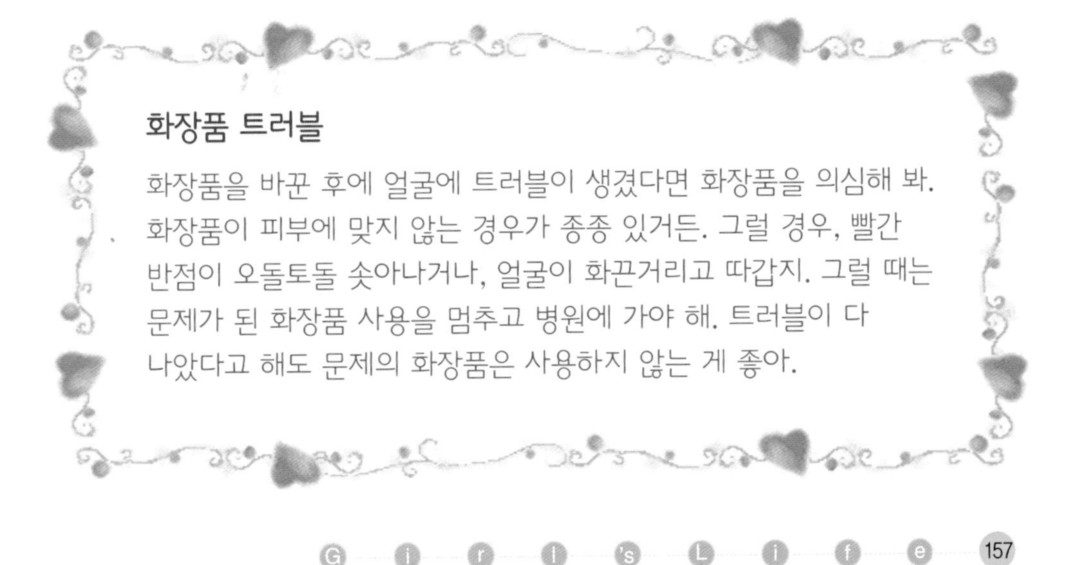

화장품 트러블

화장품을 바꾼 후에 얼굴에 트러블이 생겼다면 화장품을 의심해 봐. 화장품이 피부에 맞지 않는 경우가 종종 있거든. 그럴 경우, 빨간 반점이 오돌토돌 솟아나거나, 얼굴이 화끈거리고 따갑지. 그럴 때는 문제가 된 화장품 사용을 멈추고 병원에 가야 해. 트러블이 다 나았다고 해도 문제의 화장품은 사용하지 않는 게 좋아.

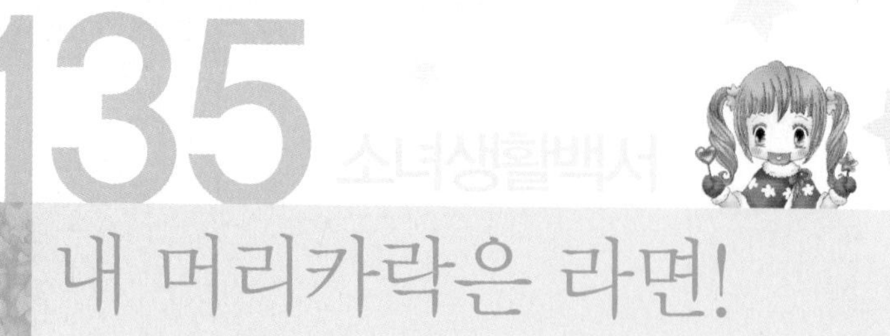

내 머리카락은 라면!

체육시간이 끝나고 너무 더워서 세수를 했지. 그러다 남자애들하고 물싸움을 했어. 물론 여자애들의 승리였지.

하지만 승리의 기쁨도 잠시!

내 곱슬머리는 물에 젖어서 금세 라면처럼 꼬불꼬불해졌어.

"네 머리 보니까 라면 먹고 싶다! 히히히!"

한 남자애가 그렇게 말하고는 내 앞에서 유유히 사라졌어.

장마철의 곱슬머리

곱슬머리는 습기가 많아지면 더 곱슬곱슬해져.
그래서 비가 오는 날에는 잔머리까지 다 일어나서 꼬불꼬불 제멋대로 되지. 습기에 약한 곱슬머리라면 헤어 에센스를 발라 줘. 식물성 오일로 되어 있는 헤어 에센스는 머리카락에 기름 막을 만들어 습기가 머리카락에 스며드는 것을 막아 주지.

욕심이 만들어 낸 뾰루지!

부족하지도 않고,
지나치지도 않도록
중심을 지킬 것!
지나친 욕심은
뾰루지를 만들고,
지나친 게으름은
각질을 만든다.

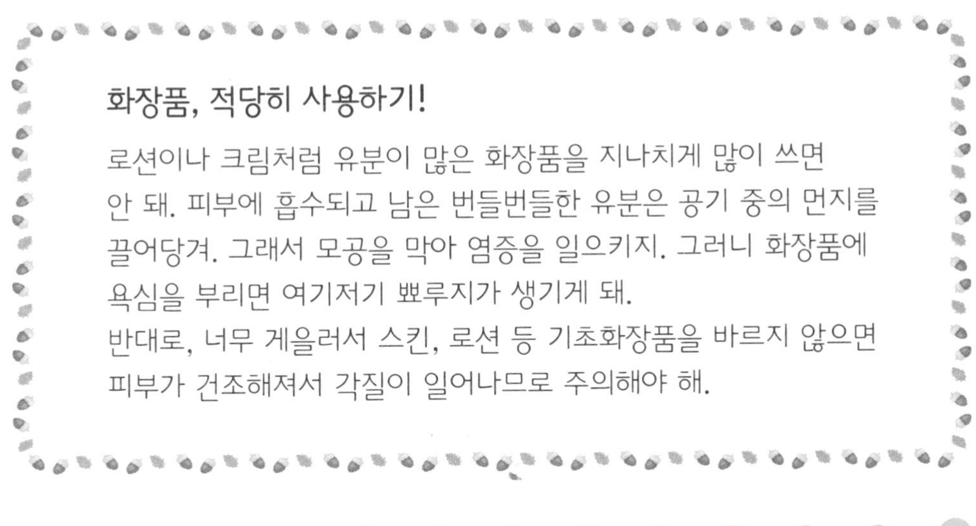

화장품, 적당히 사용하기!

로션이나 크림처럼 유분이 많은 화장품을 지나치게 많이 쓰면 안 돼. 피부에 흡수되고 남은 번들번들한 유분은 공기 중의 먼지를 끌어당겨. 그래서 모공을 막아 염증을 일으키지. 그러니 화장품에 욕심을 부리면 여기저기 뾰루지가 생기게 돼.
반대로, 너무 게을러서 스킨, 로션 등 기초화장품을 바르지 않으면 피부가 건조해져서 각질이 일어나므로 주의해야 해.

137 소녀생활백서

먹어서 예뻐지자!

똑똑한 소녀는 먹으면서 예뻐진다.
시금치나물에 다시마 쌈,
브로콜리 샐러드를 먹고
후식으로는 포도 주스,
간식은 요구르트와 고구마!
이만하면 공주님도
안 부러운 예뻐지는
식단 완성!

예뻐지는 식습관

시금치와 같은 녹황색 채소와 다시마와 같은 해조류는 피부를 탱탱하고 하얗게 지켜 줘. 그리고 피부 트러블 예방에도 도움이 되지. 유산균 음료와 고구마는 배변 활동을 도와 줘. 변비에 걸리면 독소가 몸에 쌓여서 피부에 트러블이 생기거든. 브로콜리에는 비타민C가 많이 들어 있어서 피부를 건강하게 지켜 주지.

전기 인간

난 아무래도 별나라에서 온 외계인인가 봐.
내 몸에는 전기가 흐르고 있거든.
겨울에 스웨터를 입으면
머리카락은 정전기 때문에
산발이 돼.
가끔 어떤 사람과 닿으면
'틱' 하고 전기가 통하기도 하지.
그렇다면 혹시 그 사람도 외계인?

겨울철, 정전기 없애기

겨울처럼 건조한 계절에는 사람의 몸에서도 정전기가 일어나. 정전기 때문에 머리카락이 둥둥 떠다니는 것을 막으려면 트리트먼트를 하면 되지. 헤어 트리트먼트를 머리카락에 바르고, 스팀타월로 감싸. 그리고 10분 후에 머리를 감으면 머리카락에 수분이 촉촉하게 공급돼서 정전기를 막을 수 있어. 또 몸에 생기는 정전기는 바디로션을 꼼꼼히 바르면 줄일 수 있지.

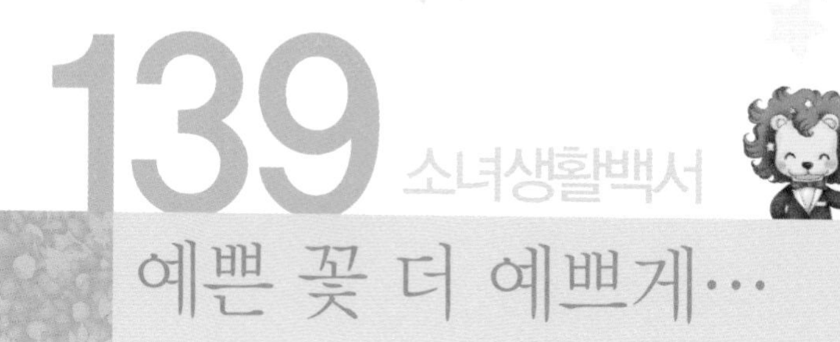

139 소녀생활백서

예쁜 꽃 더 예쁘게…

엄마 친구가 우리 집에 놀러 오셨어.
오시자마자 나를 향해 말씀하시더라.
"어머! 너무 예쁘다!"
"네, 그런 소리 많이 들어요!"
난 웃으며 대답했지. 그런데 내가
아니라 내 옆에 있는 꽃병을 보시고
말씀하신 거라지 뭐야.
내 얼굴은 꽃병에 꽂혀 있는 장미꽃보다 더 붉게 달아올랐어.
아이, 부끄러워라!

예쁜 꽃, 더 예쁘게 하는 꽃꽂이

1. 투명한 꽃병 속에 조약돌을 넣으면 화분 같은 느낌이 난다.
2. 꽃을 꽂은 꽃병을 작은 바구니에 담아 걸어 두는 것도 멋스럽다.
3. 꽃병이 없을 때는 투명한 유리컵 여러 개에 나눠 꽂아도 좋다.
4. 꽃병에 꽃과 어울리는 예쁜 리본을 묶으면 더 화사해 보인다.

새빨간 자신감

모자를 사러 갔어.
모자 가게에는 예쁜
모자들이 가득했어.
노랑, 파랑, 빨강 등 다양한
색깔의 모자들이 있었지.
그 중에 어떤 색 모자가
가장 마음에 드니?

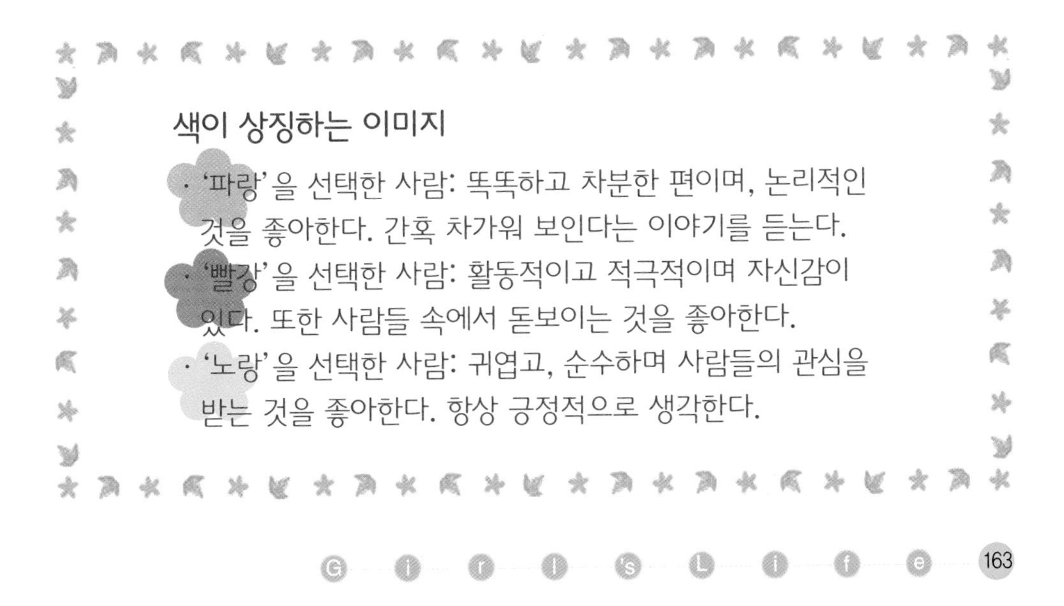

색이 상징하는 이미지

- '파랑'을 선택한 사람: 똑똑하고 차분한 편이며, 논리적인 것을 좋아한다. 간혹 차가워 보인다는 이야기를 듣는다.
- '빨강'을 선택한 사람: 활동적이고 적극적이며 자신감이 있다. 또한 사람들 속에서 돋보이는 것을 좋아한다.
- '노랑'을 선택한 사람: 귀엽고, 순수하며 사람들의 관심을 받는 것을 좋아한다. 항상 긍정적으로 생각한다.

141

빼먹지 말자, 자외선 차단제

내 별명은 식빵이야. 얼굴이 네모처럼 생겼거든.
그런데 이젠 구운 식빵이 됐어.
겨울에도 자외선 차단제를 발라야 한다는 사실을 몰랐거든.
눈썰매장에서 신나게 노는 동안 내 얼굴이 까맣게 타 버렸지.
자외선은 피부의 적이라는 사실을 다시금 깨닫게 됐어.
자외선 차단제, 이제 일년 내내 빼먹지 말아야지!

때수건아, 안녕~!

이모와 함께 공중목욕탕에 갔어.
탕에 들어갔다가 나온 이모는 자리에 앉아 초록색 때수건을 양손에 끼더니,
"이리 와 앉아!"
고문이 시작됐지. 이모가 내 등을 인정 사정 없이 벅벅 문지르지 뭐야. 불쌍한 내 피부!

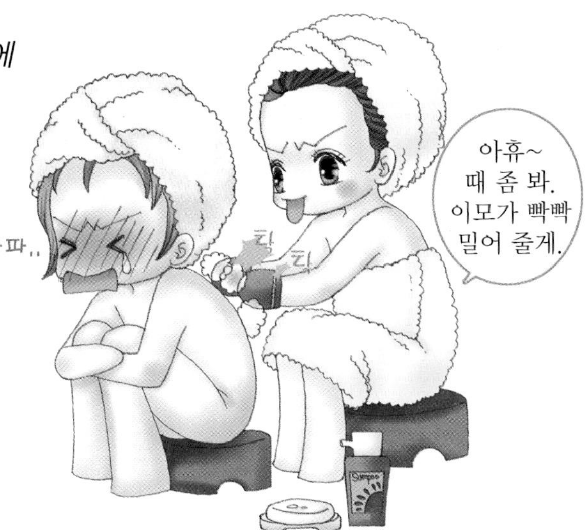

Tip

때수건 멀리하기

거친 때수건은 한 달에 한 번, 그것도 몸에만 살살 사용해야 해. 특히 약한 얼굴에는 절대 때수건을 사용하면 안 돼.
때수건으로 피부를 지나치게 문지르면 우리 피부를 보호하고 있는 막까지 벗겨져. 그러면 연약한 피부가 밖으로 나와서 쉽게 건조해지고 약한 자극에도 쉽게 다치게 되지. 묵은 각질을 제거하기 위해서라면 거친 때수건보다는 스크럽 제품을 사용하는 게 좋아.

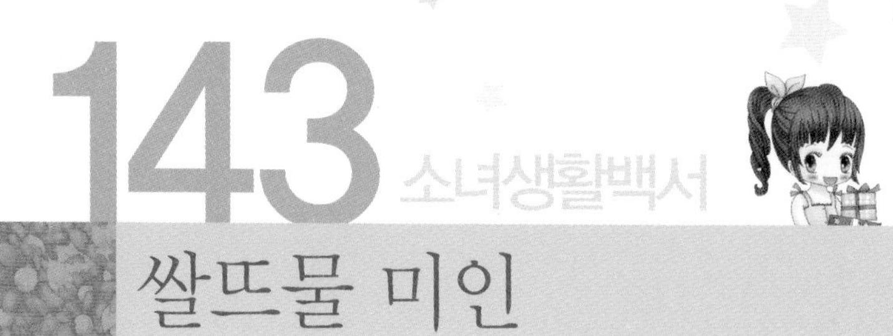

쌀뜨물 미인

나를 정말 이대로 하수구에 버리겠다는 거야?
난 비록 쌀을 씻어 낸 물이긴
하지만 이대로 하수구로
사라지는 것은 원치 않아.
너, 예뻐지고 싶다며?
그럼, 날 잡아!
난 너의 피부를 하얗게, 촉촉하게
만들어 줄 수 있단 말이야.

세계가 인정한 쌀뜨물의 미용 효과

외국 유명한 화장품 회사에서도 쌀뜨물이 피부에 좋다는 것을 인정했어.
쌀뜨물에 들어 있는 성분들이 우리 피부에 수분을 공급해서 촉촉하게
만들어. 그리고 우유처럼 하얀 피부로 만들어 주지.
이제부터 엄마에게 부탁해! 쌀뜨물을 모아 달라고 말이야.
첫 번째 쌀 씻은 물은 지저분하므로 그냥 버리고
두 번째 쌀 씻은 물을 모아서 그 물로 세안을 하면 돼.

머리카락아, 빨리 자라다오!

미용실에 가서 커트를 해 달라고 했어.
3센티미터만 잘라 달라고 했지.
미용실 언니가 커트를 하는 동안
난 깜빡 잠이 들었어.
미용실 언니가 깨워서 눈을 떠 보니
길었던 내 머리카락이 사라져
버렸어. 미용실 언니가 3센티미터만
남기고 잘라 달라는 말로 잘못 들었나
봐. 으앙! 이제 어떡해! 머리카락 빨리
자라게 하는 비법 같은 건 없나?

머리카락 기르기

머리카락은 보통 한 달에 1센티미터씩 자라.
10센티미터를 기르려면 약 10달이 걸리는 셈이지.
머리카락을 빨리 기르고 싶다면 단백질이 들어 있는 달걀이나
콩, 닭고기를 많이 먹어 봐. 단백질이 머리카락의 주성분이거든.

스트레스, 예쁘게 풀자!

심각한 스트레스를 받은 세 명의 소녀!
한 소녀는 엉엉 울면서 풀고,
한 소녀는 사람들과 싸우면서 풀었어.
하지만 나머지 한 소녀는 당근과 오이, 사과를 먹으면서 스트레스를 풀었지.
맛있는 과일과 야채를 아삭아삭 씹으면 스트레스는 어느 새 잊혀지거든.
그리고 덤으로 피부도 고와지겠지?

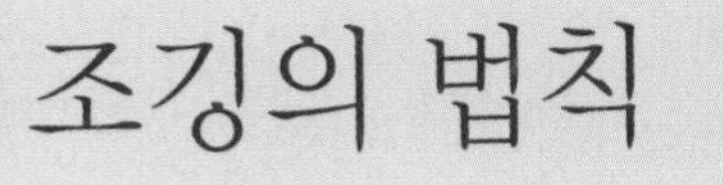

조깅의 법칙

오랜만에 동네 공원에서 조깅을 했어.
조깅하기 전에 밥을 많이 먹어서 그런지
배가 꿈틀꿈틀하더니
화장실에 가고 싶은 거야.
그런데 화장지를 안 가지고 왔지 뭐야.
난 땀을 삐질삐질 흘리며 집을 향해
어기적 어기적 힘겹게 걸어갔어.
집까지 무사히 갔냐고? 그건
비밀이야.

Tip

조깅은 이렇게!

1. 조깅은 아침에 하는 것이 좋아.
2. 조깅하기 1~2시간 전에 물을 충분히 마시도록 해.
3. 살을 빼고 싶다면 빈 속에 조깅을 하는 게 좋아.
   그래야 지방이 빨리 분해되거든.
4. 조깅을 할 때는 주머니를 가볍게 해야 편해.
5. 발을 보호하기 위해서 양말을 꼭 신도록 해.
6. 화장지와 손수건 그리고 비상금을 준비해.

147 소녀생활백서

파마머리, 요령 있게 빗질하는 법!

뽀글뽀글 파마를 했어.
미용실에서 나올 때는
무척 마음에 들었지.
이틀 후, 머리를 감고
거울 앞에 앉았어.
참 막막하더라. 어떻게 빗질을
해야 할지 모르겠는 거야.
난 촘촘한 빗을 들고
머리를 빗기 시작했지.
으악~! 그 날 난 머리카락이 다 뽑히는 줄 알았어.

거친 머리카락 빗질하기

서로 엉켜 있는 거친 머리카락은 우선 헤어 에센스로 부드럽게 만드는 게 좋아. 그런 후, 굵은 브러시로 머리카락 끝부터 조금씩 빗어야 해. 끝이 다 빗어지면 조금씩 위로 올라오는 거야. 브러시는 두피에 닿는 부분이 뭉툭하고 부드러운 것으로 골라. 그래야 두피에 손상을 주지 않으면서 마사지 효과를 줄 수 있거든.

화장수와 화장솜은 단짝

화장수와 화장솜은
뗄 수 없는 사이!
손바닥은 화장수와
화장솜의 사이를
질투하는 훼방꾼이야.

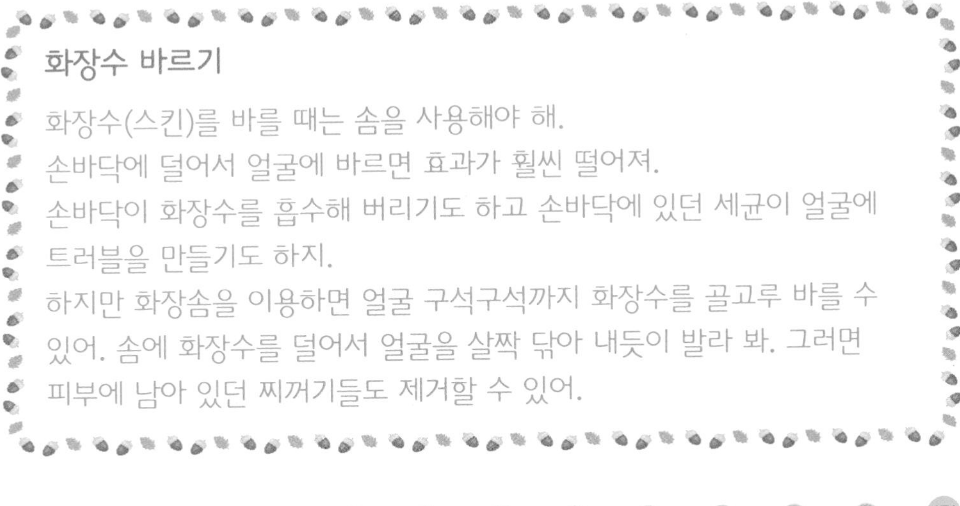

화장수 바르기

화장수(스킨)를 바를 때는 솜을 사용해야 해.
손바닥에 덜어서 얼굴에 바르면 효과가 훨씬 떨어져.
손바닥이 화장수를 흡수해 버리기도 하고 손바닥에 있던 세균이 얼굴에 트러블을 만들기도 하지.
하지만 화장솜을 이용하면 얼굴 구석구석까지 화장수를 골고루 바를 수 있어. 솜에 화장수를 덜어서 얼굴을 살짝 닦아 내듯이 발라 봐. 그러면 피부에 남아 있던 찌꺼기들도 제거할 수 있어.

149

여자라서 누릴 수 있는 특권!

옛날에는 여자라는 이유만으로 많은 것들을 참고 살아야 했대.
하지만 이제는 여자도 능력에 따라 인정받고, 존중받는 시대야.
그리고 여자들만 누릴 수 있는 특권이 얼마나 많다고.
여자라서 정말 행복하지 않니?

어벙 총각의 하루

아침에 일어나 수염을 깎다가 칼날에 얼굴을 베었다. 무지 아팠다.

장롱 문을 열고 여러 벌의 무채색 양복 중에 하나를 꺼내 입었다.

머리는 대충 빗었다. 10년째 똑같은 헤어스타일이라 좀 지겹다. 버스를 타고

가다가 예쁜 아가씨가 하이힐로 내 발을 밟았다.

눈물이 찔끔 났지만 남자라서 참아야 했다.

게다가 매서운 바람 때문에 하루 종일 오들오들 떨어야 했다.

여자들은 남자보다 지방이 많아서 추위도 덜 탄다던데…….

상큼 아가씨의 하루

밤늦게까지 일해서 얼굴이 푸석푸석했다.

하지만 완벽한 화장으로 커버했다.

장롱을 열고 예쁜 옷들 중에서 마음에 드는 것을 골라 입었다.

마음에 드는 옷을 입어서 기분도 좋았다. 머리는 발랄해 보이게 하나로

묶었다. 하늘거리는 치마에 어울리는 하트가 달린 구두를 신고 밖으로 나갔다.

길에서 한 아주머니가 어린아이의 손을 잡고 가고 있었다. 나도 언젠가

사랑스러운 아기를 낳겠지? 아기를 낳을 수 있는 여자라는 게 참 자랑스럽다.

버스를 타고 가다가 어떤 남자의 발을 밟았다. 미안하다고 했더니 괜찮다고

했다. 꽤 아팠을 텐데……. 오늘 저녁에는 슬픈 영화를 보며 펑펑 울어야지.

그럼 한 달치 스트레스가 확 풀릴 거야.

친구는 나를 비추는 거울!

친구와 싸웠어! 그래서 세상에서 네가 제일 싫다고 했지.
그랬더니 친구도 나랑 똑같이 말하더라. 세상에서 내가 제일 싫다고…….
곰곰이 생각해 보니까 내가 잘못한 것 같아서 친구를 찾아가 웃으며 말했어.
"미안해. 내가 잘못했어!"
그랬더니 친구도 미소를 지으며 말하더라.
"아니야, 내가 잘못했어!"
우리 둘은 마주보고 한참을 웃었어. 똑같이 화내고,
똑같이 웃고… 친구는 나를 비추는 거울 같아.

소녀 장사는 싫어!

무거운 책이 가득 든 책가방, 악기 가방, 소풍이나 극기 훈련장에 가져갈 배낭, 외할머니가 싸 오신 김치와 된장 보따리, 슈퍼에서 이것저것 담아 무거운 비닐 봉지 등 소녀가 들어야 할 짐은 한두 가지가 아니다.

무거운 짐을 든 소녀의 고개는 점점 한쪽으로 기울고, 허리는 빼근하며 다리에는 힘이 풀려 휘청거릴 수밖에 없다!

아, 나는 소녀 장사가 아니야!

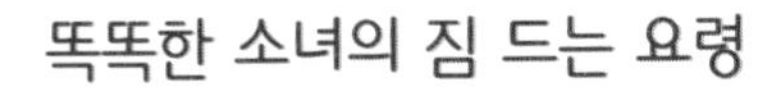

똑똑한 소녀의 짐 드는 요령

짐은 양손에 고르게 나눠 들고 허리를 바르게 세우고 걸어야 해.
짐을 한손에만 오래 들고 있으면 허리에 무리가 가거든.
만약 짐이 하나라면 양손으로 번갈아 가며 들도록 해.

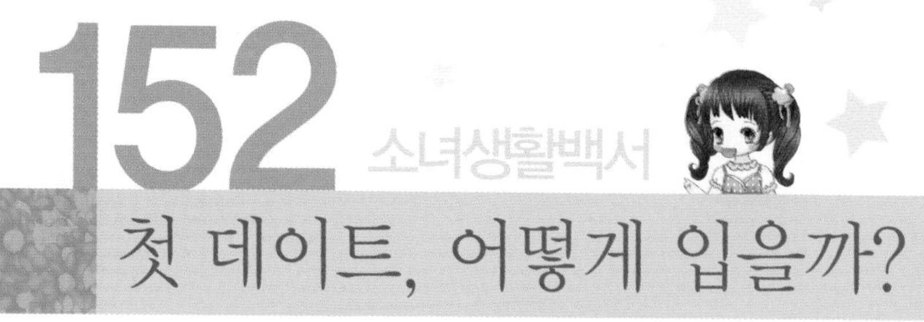

152 소녀생활백서

첫 데이트, 어떻게 입을까?

그 애와의 두근거리는 첫 데이트!
뭘 입어야 할지 몇 날
며칠을 고민했어.
이모는 어른스럽게 입어야
한다고 하고, 동생은
공주처럼 입어야 한대.
남자아이들은 어떤
옷차림을 제일 좋아할까?

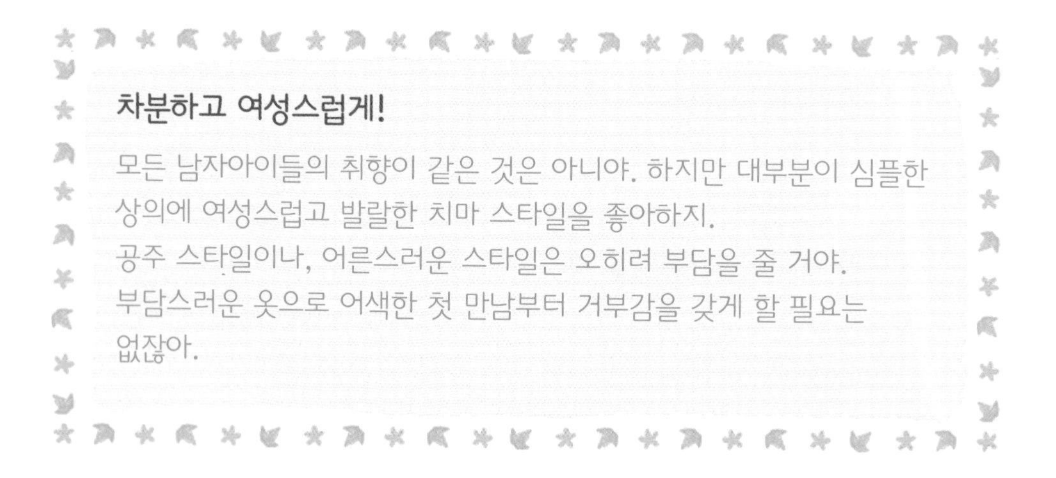

차분하고 여성스럽게!

모든 남자아이들의 취향이 같은 것은 아니야. 하지만 대부분이 심플한 상의에 여성스럽고 발랄한 치마 스타일을 좋아하지.
공주 스타일이나, 어른스러운 스타일은 오히려 부담을 줄 거야.
부담스러운 옷으로 어색한 첫 만남부터 거부감을 갖게 할 필요는 없잖아.

양말하나로 날씬해지는 종아리!

기분 좋은 토요일! 즐거운 기분을 표현하고 싶었어.
그래서 빨간색 무릎양말을 신었지.
또 마음껏 뛰어다닐 수
있는 편안한 운동화를 신고
밖으로 나갔어.
그런데 친구들이 나보고
'축구선수' 같다지 뭐야.
내 종아리가 두껍긴 하지만
'축구선수'라는 표현은
너무 심한 거 아냐!

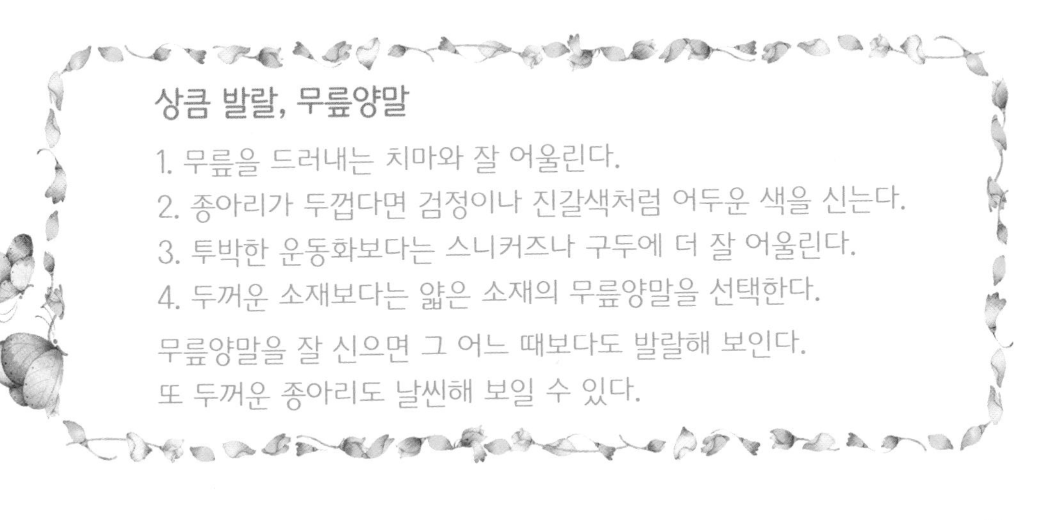

상큼 발랄, 무릎양말

1. 무릎을 드러내는 치마와 잘 어울린다.
2. 종아리가 두껍다면 검정이나 진갈색처럼 어두운 색을 신는다.
3. 투박한 운동화보다는 스니커즈나 구두에 더 잘 어울린다.
4. 두꺼운 소재보다는 얇은 소재의 무릎양말을 선택한다.

무릎양말을 잘 신으면 그 어느 때보다도 발랄해 보인다.
또 두꺼운 종아리도 날씬해 보일 수 있다.

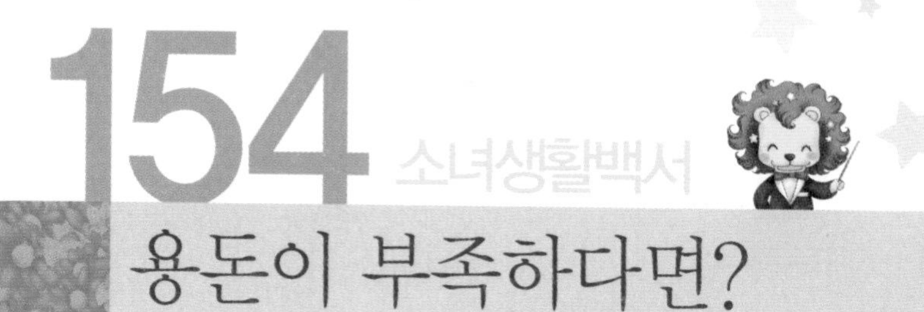

용돈이 부족하다면?

용돈을 받으려면 아직도 열흘이나 남았어.
그런데 내 지갑에는 딸랑 1,000원밖에 없지 뭐야.
난 어쩔 수 없이 '최고의 짠순이'가 되기로 했어.

Tip

최고의 짠순이 전략!

1. 필요한 물건은 가족이나 친구들에게 빌려 쓴다.
2. 쿠폰을 적극적으로 활용한다.
3. 고독의 시간을 즐겨라. - 친구들을 만나서 놀면 용돈을 많이 쓰게 된다. 하지만 고독의 시간을 너무 오래 끌지는 말 것!
4. 집 안 구석구석을 잘 살핀다. - 주인 잃은 동전들이 있을 것이다.
5. 심부름을 독차지한다. - 열심히 심부름을 하며 애교스럽게 용돈을 받는다.

베풀수록 행복해지는 친절!

친절을 베풀 때는 대가를 바라지 말 것!

대가를 바라는 순간, 친절의 아름다움은 빛을 잃는다.

친절은 지나쳐도 좋아!

대부분의 행동들은 지나치면 좋지 않아.
하지만 친절만큼은 지나쳐도 좋지.
할 수 있는 한 최대한의 친절을 베풀고 살아.
친절을 베풀면 베풀수록 우리 얼굴은 따뜻한 미소로 빛날 테니까.

간식의 유혹

난 요즘 밥을 거의 먹지 않았어. 그랬더니 어지럽고 기운도 없더라.
살 빠졌냐고? 아니! 오히려 더 쪘어.
밥은 잘 안 먹었지만 간식은 엄청 먹었거든.
이제는 간식에 중독돼서 쉽게 끊을 수가 없어.
아빠가 담배를 끊는 날이면 나도 간식을 끊을 수 있을까?

간식은 나빠!

초콜릿, 과자, 탄산음료와 같은 간식은 우리 몸의 영양 균형을 깨뜨려. 칼로리만 높지 몸에 좋은 영양소는 거의 들어 있지 않거든. 또, 시도 때도 없이 간식을 먹으면 우리 치아도 쉽게 썩고 말지.
게다가 지나치게 단맛은 밥맛을 떨어뜨려서 올바른 식습관을 망가뜨려 놔. 칼로리가 높은 간식을 줄이고, 제 시간에 식사하는 습관을 기르도록 해.

생각하는 힘!

"너의 생각을 말해 보렴!"
선생님이 갑자기 나에게 질문하셨어.
그런데 내 머리 속은 하얀
도화지처럼 아무 생각도 안 나는
거야.
이제 아무 생각 없이 오락하고,
아무 생각 없이 텔레비전 보고,
아무 생각 없이 멍하니 있는 습관을
버려야겠어. 이러다가 내 뇌가
생각하는 법을 영영 잃어버릴지도 모르잖아.

생각하는 힘 키우기

생각하는 힘을 길러야 해. 그래야 인생을 더 현명하고 올바르게 살 수 있어. 남이 하자는 대로만 이끌려 다니고 싶지는 않겠지?
책을 읽거나, 클래식 음악을 듣고, 그림을 감상하며 생각하는 힘을 키우는 게 좋아. 그리고 눈을 떴을 때 하루를 계획하고, 자기 전에 하루를 마무리하는 생각을 갖는 것도 참 중요하지. 생각하는 것은 습관이야. 좋은 습관 하나가 우리의 미래를 바꿔 놓지.

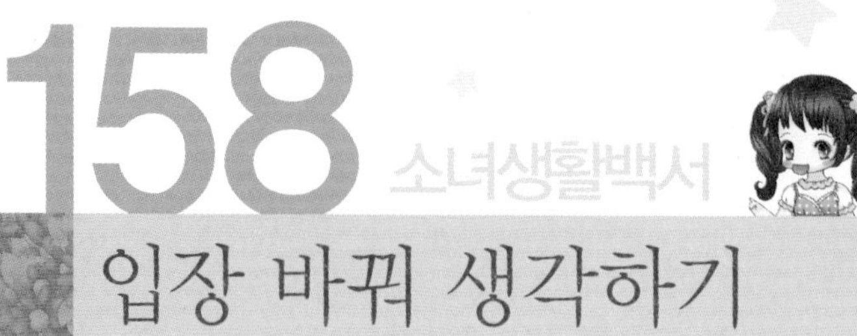

입장 바꿔 생각하기

"몰라몰라, 난 아빠 말 안 들을 거예요!"

난 오늘 아빠에게 짜증을 냈어.

제멋대로 짜증을 냈으면 마음이 편해야 하잖아.

그런데 하루 종일 마음이 아팠어.

가만히 앉아 아빠의 입장에서 생각해 보니까, 내가 너무 잘못한 것 같아.

아빠는 나 잘되라고 그러신 건데……. 화가 날 때는 입장을 바꿔서 생각해 봐야겠어. 사랑하는 사람의 마음을 아프게 하기 전에 말이야.

명령과 부탁의 차이점

명령하는 걸 좋아하는 바람과 부탁하는 걸 좋아하는 해님이 내기를 했어.
나그네의 외투를 누가 먼저 벗기는지 말이야.
바람은 "나그네야, 외투를 벗어!"라고 명령하며
세찬 바람을 내뿜었어.
해님은 "나그네님, 잠깐만
외투를 벗어 주실래요?"라고
부탁하며 따뜻한 햇살을
비추었지.
누가 이겼을까?
맞아, 당연히 해님이 이겼지.

나그네님,
잠깐만
외투를 벗어
주실래요?

응~

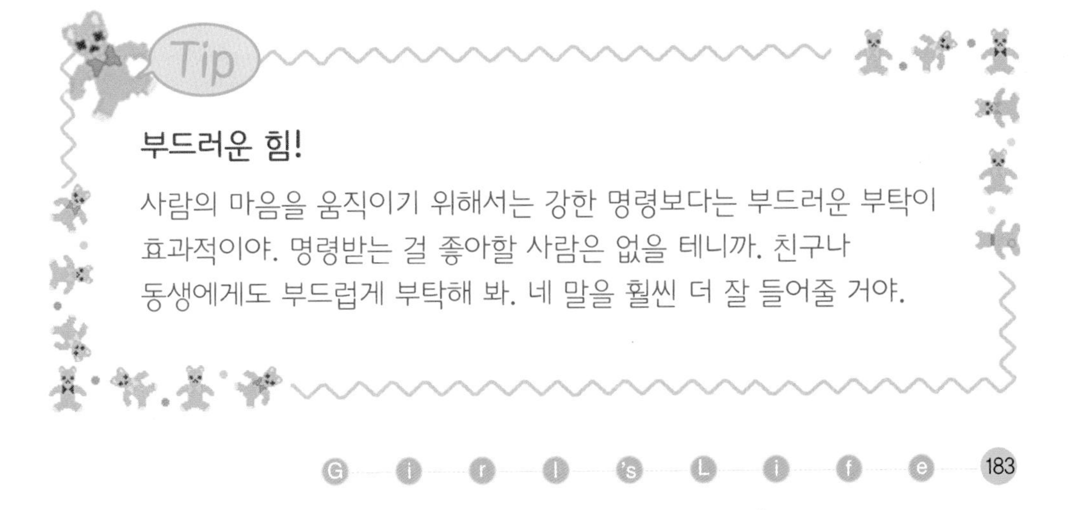

Tip

부드러운 힘!

사람의 마음을 움직이기 위해서는 강한 명령보다는 부드러운 부탁이 효과적이야. 명령받는 걸 좋아할 사람은 없을 테니까. 친구나 동생에게도 부드럽게 부탁해 봐. 네 말을 훨씬 더 잘 들어줄 거야.

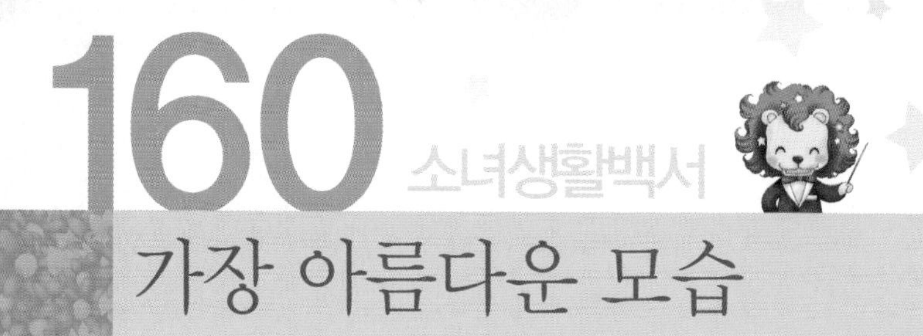

가장 아름다운 모습

하늘나라에는 천사들이 다니는 학교가 있어.
그 학교에서는 아름다움에 대해서 가르치지.
예쁜 머리 모양과 아름다운 몸짓 그리고 달콤한 향수를 뿌리는 법까지 말이야.
그러던 어느 날, 마지막 수업 시간이었어.
선생님은 천사들에게 최고의 아름다움을 가르쳐 주겠다고 했지.
천사들은 모두 숨을 죽이고 선생님의 말씀을 기다렸어.
"가장 아름다운 모습을 하고 싶다면, 항상 즐겁게 웃어요!
해맑게 웃는 모습이야말로 세상에서 가장 아름다운 모습이니까요!"

소녀를 위한 백과 시리즈

예비숙녀가 꼭 알아야 할 상식, 마음이 따뜻해지는 동화, 공부도 인기도 1등인 소녀의 공부비법,
소녀가 궁금해하는 성 상식, 당당한 소녀들의 생활 노하우, 고민을 해결하는 센스, 소녀를 위한 경제 상식 등
소녀백과 시리즈에는 소녀를 위한 모든 것이 들어 있어요.

❶ **예비숙녀**가 꼭~ 알아야 할 소녀백과
❷ **소녀**들의 마음이 따뜻해지는 사랑동화 36가지
❸ 공부도 1등 인기도 1등 **소녀**를 위한 공부백과
❹ 소녀들이 꼭~ 알아야 할 성(性)백과
❺ 똑똑하고 당당한 소녀생활백서
❻ **소녀**들의 고민을 해결해 주는 센스백과
❼ **부자습관**을 길러주는 소녀경제백과

각 권 172×222 양장제본 | 192쪽 내외 | 정가 8,500원

Girl's Life